Critical Words for Literary Theory

文学理論

［クリティカル・ワード］

読み方を学び文学と出会いなおす

三原芳秋・渡邊英理・鵜戸聡 編

フィルムアート社

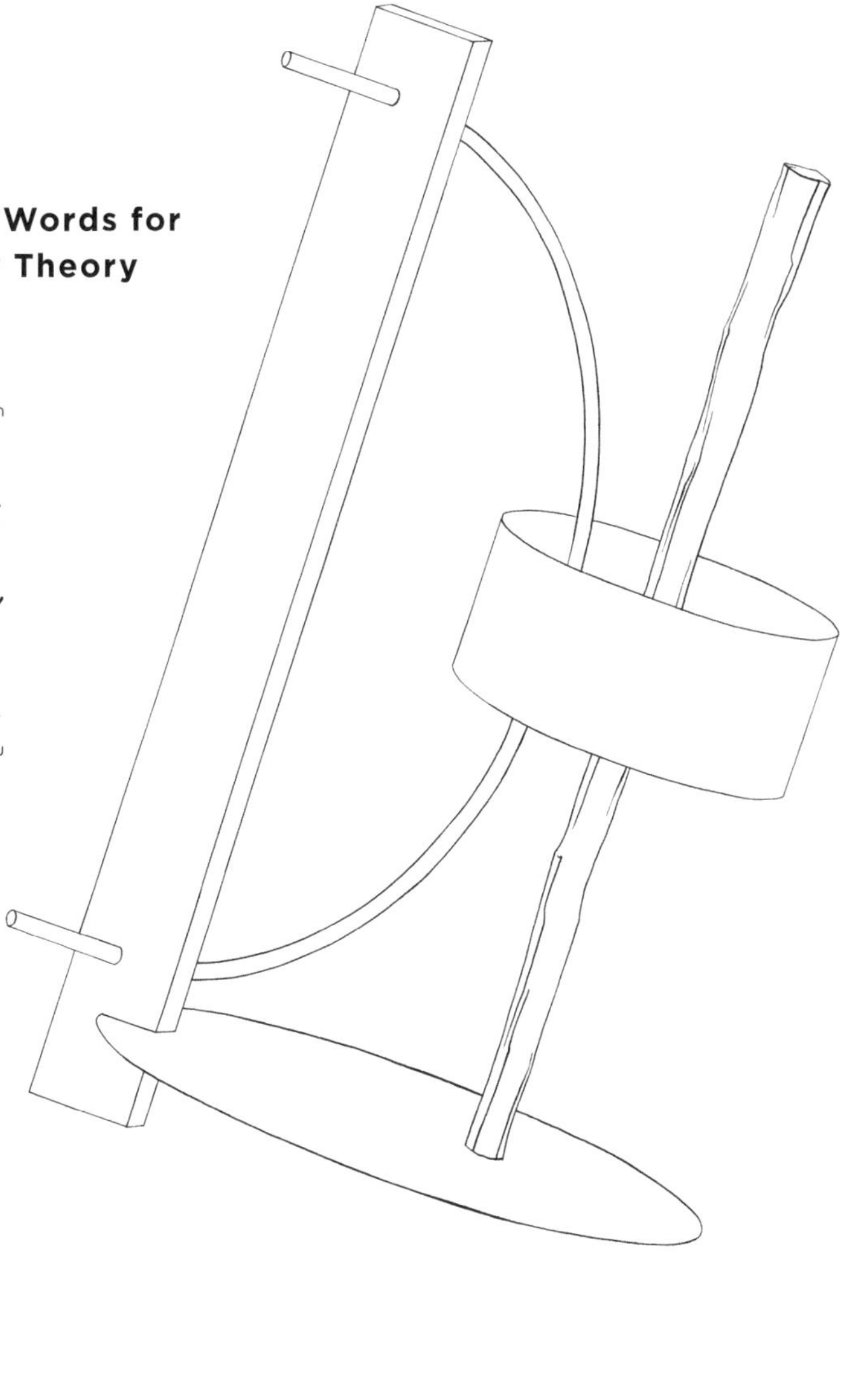

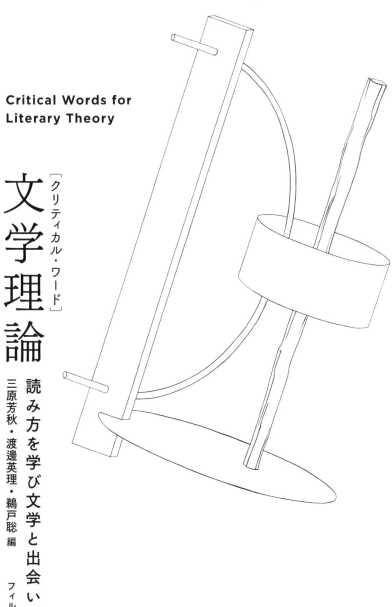

[凡例]

1　本書で言及される書名・雑誌名について、和文の場合は『　』で括り、欧文の場合はイタリックで示した。論文・詩や短編・章タイトルなどについて、和文は「　」、欧文は“ ”で括った。

2　第1章から第5章までの本文中のゴシックは、各章本文につづく「用語解説」で扱う語句を示しており、第6章から第10章の〔　〕内のゴシックは、関連事項・人名との相互参照を表している。

3　人名は、一般的に使用されている表記に従った。

4　書名および論文タイトルに付記された（　）内の算用数字4桁は、「年」付きのものは邦訳書の刊行年を示し、数字のみの場合は原書・原論文の刊行および発表された年を示している。ただし、出版年および発表年について本文で言及があるものについてはその表記を省略した。

5　〔　〕は執筆者による補足説明を表す。

はじめに

わたしたちの精神の木立は荒れはてて、木々は野心という名の無益な火にくべられるために売られたり、種々の工場や製材所に送られたりしてしまって、〈思索〉の鳩がとまるための小枝すら、もうほとんど残されてはいない。

――H・D・ソロー「ウォーキング」

この本を手にとったあなたは、きっと、「文学」という漠としたことばにどこか惹かれるものを感じて――とまではいかずとも、どこか引っかかるところがあって、いま、このページを開いたのでしょう。「文学作品」と呼ばれる詩や小説、戯曲やエッセイなどを読んで、なにか得体のしれない〈大きなもの〉にふれた／ふれられた経験をしたことがきっかけ、という人も少なからずいることでしょう。その〈経験〉になんらかの〈表現〉をあたえたくて、自分でもなにか別の作品を書いてみたり、絵画や音楽といった異なる媒体をためしてみたり、はたまた親からあたえられたこの身体をさまざまに動かしてみたり（逆に、動きを止めて観じてみたり）、いろいろとあがいてみた人もあるかもしれません。そういった〈表現〉を手助けする手段のひとつとして、「理論」――〈思索〉についての〈思索〉――と呼ばれる、またひとつの漠とした領野《フィールド》があると考えてみてはいかがでしょう。

1990年代なかば、わたし自身も、そういった〈表現〉を模索する文学部の一学生でした。ちょうどその頃、わたしが通う大学に新たに赴任なさった先生が、「現代批評／文学理論」の講義を開講なさいました（当時、「文学理論」の名を冠する講義は、日本ではまだめずらしかったと思います）。なにかを期待するでもなく講堂のうしろの方で聴講していた生意気な学生だったわたしでしたが、講義の冒頭でその若い先生がおっしゃったあることばに強い知的興奮を覚えたのを、いまでもありありと思いだすことができます――「文学理論を学べば、さまざまな境界をどんどん越えていくことができる」。巨大な一本の木の前に立って、どれくらいの高さがあるのかもわからないそのてっぺんの方を見上げるような感覚でした。どうにか足掛かりをみつけて、その大木をよじ登ることができれば――てっぺんとまではいかずともどこか上の方の枝の先まで到達すれば、下からは見ることができなかった紅くてきゃしゃな花が一輪そこには咲いているかもしれない、なにかまた違った景色をそこから見ることができるかもしれない。そして、となりの木へ、またそのとなりの木へと、自由に飛び移ることができるようになるのかもしれない……。

あれから四半世紀、多くの大学では文学理論が正規《レギュラー》の科目として講じられ、書店には入門書・概説書のたぐいが多く並べられるようになりました。いまでは自分がそういった授業をする立場になっているわけですが、学生時分のわたしなどは怖くてなかなか口にすることのできなかった「脱構築」とか「主体」とか「他者」といった専門用語を若い人たちがそらんじている様をみるにつけ、なんともたのもしいことだと感心しています。それ自体はたいへん良い傾向だと思っていますが――ことに、揺り戻し《バックラッシュ》が一部で顕著になってきている今日ですから――ただ、ときおり、不安を感じることがあるのも事実です。ときおりですが、本棚にならぶ入門書・概説書のたぐいが、木立から無理やり伐り出されて製材所できちんと形を整えられた角材の束のように見えてくることがあります。てっとりばやく使えそうな角材を握り、ふりまわしては他人を威嚇してみたり、チャンバラごっこをしてみたり、それに飽きたらポイと投げ捨て、またちょっと違うサイズの角材を手にとってみる……「理論」が、そんな風にして「使われる」ものになってしまっているのではないのか、という不安を感じることがあるのです。「それが制度化というものだ」という常套句《クリシェ》が聞こえてきそうですが、「制度化」とはかならずしも「硬直化」に直結するものではないはずです。むしろここは見方をかえて、「制度化」とは「制度」を不断に更新するダイナミックな運動である、と考えてみましょう。そうすると、現在《いま》ある「制度」はけっして固定したものではなく、「制度化」の運動が否応なく持ち込む〈偏差〉によって（潜在的に）つねに〈開かれ〉たものとなります。「制度化」をむしろ積極的に、飽くことなく推し進めること。

すでにすぐれた類書が多く存在するなかで（巻末「Book Guide」参照）、本書はそこに屋上屋を架そうというのでもなく、かといってまったく斬新な試みであると主張するものでもありません。ただ、スマホでネット検索すればたいていの人名・用語は詳細に（しかもアップデートされた形で）説明されている今日の状況にあって、文学理論の入門書――木登りのススメ――はどのようなものであるべきか、ということを執筆者一同で話し合い、ともに考えた結果できあがったものです。２部構成になっていて、前半では「文学理論」の根っこに降りてみて思索すること（Fundamentals）を、後半ではいくつかの大枝の先まで登ってみてそこに現在《いま》咲き誇っている花を愛でつつその花弁の内奥に新たな思索の糸口を発見＝発明すること（Topics）を、目指しました。

「基礎講義編――文学理論のエッセンス」と題した前半は、文学理論が日本にも定着した１９８０・90年代の空気を吸いながら文学研究の道に入った５人の筆者が、「テクスト」「読む」「言葉」「欲望」「世界」というテーマをめぐって、それぞれ独自の切り口・語り口で論じたものです。アプローチは多様ですが、「文学」を「理論」的に思索するとはどういうことか、という共通の〈問い〉に向き合う態度は一致しています。「トピック編――文学理論の現在《いま》を考えるために」と題した後半は、現役の大学院生５人が集い、「こういうものが欲しかった」を合言葉に、現在進行形の諸主題《トポス》＝思索の場がなす多島海を航行《ナヴィゲート》するための認識地図を作製したものです。こうやって論拠《トポス》の在り処を発見＝発明する技法を西洋の古典修辞学では「トピカ」と呼び、判断＝批判の術である「クリティカ」よりも先に来るべきものとして（かつては）重視されていたものです。

江戸時代、京都は堀川のほとりに私塾をかまえていた伊藤仁斎という在野の儒学者がおりました。今風にいえば、超一流の「文学理論家」と呼んでもいいでしょう。その仁斎先生が『童子問』という著書のなかで、「多学」を戒め「博学」を勧める有名な一節があります――「博学」が「一《いっ》にして万《ばん》に之《ゆ》く」もので、根から幹、幹から枝が生え、そこに葉や果実が繁茂稠密する「根有るの樹」であるのにたいして、「万《ばん》にしてまた万《ばん》」の「多学」は布ぎれでつくった造花にすぎず、一度にぱっと咲きみだれ人目をよろこばしはするものの、しょせんは死物、成長ということがない。ひるがえって今日、政治家も知識人もこぞって電脳空間でツイート・リツイートをくり返している様は、まさにきらびやかな造花ばかりの百花繚乱、しかも野次馬たちは、そうやって根のない造花同士が「頭頭相排」するのを眺めては嗤っている始末。そんな現在《いま》だからこそ文学は、せめて文学は、「根有るの樹」としてその枝先にひとしれず小さな美しい花を咲かせてほしいものです。そんな花を見つけてみようと木登りを思い立ったあなたのために、本書がささやかな足掛かりとなりますように。

三原芳秋

目次

Fundamentals

第 1 部

基礎講義編

文学理論のエッセンス

第1章

テクスト

執筆―郷原佳以

理論と味わい

文学研究において理論的なものへの関心が高まり、世界的に批評理論が隆盛を極めたのは1960年代から80年代にかけてのことである。その背景には、20世紀半ばに広範な領域で興った構造主義によるソシュール言語学の再発見、それによる言語論的転回と記号論の発展という、新しい理論の勃興があった。しかし、文学研究において理論そのものが放つ魅力は、その後、徐々に減衰していったようである。近年刊行される批評理論の概説書はいずれも、軌を一にしたように、現代が「ポスト・セオリー」の時代であることの確認から始まり、そのうえで、いかに文学を思考すべきかという問題提起を行っている（アントワーヌ・コンパニヨン『文学をめぐる理論と常識』1998、中地義和・吉川一義訳、岩波書店、2008年、大橋洋一「ポストセオリー時代の批評と理論」『現代批評理論のすべて』新書館、2006年、テリー・イーグルトン『文学という出来事』２０１２、大橋洋一訳、平凡社、２０１８年など）。本書も、流行期を過ぎた現代において批評理論を知ることの意義を考えようとしている。そもそも、一定の浸透を見た後で理論が魅力を失うということは、それ自体としてはけっして不思議なことでもなければ、一概に悪いことでもなく、古来、繰り返されてきたことである。たとえば、レトリックという学問は、古代ギリシアにおいて説得の幅広い技法として大いに活用され、その有用性ゆえに西洋の教育の中枢に据えられたが、それゆえに却って、その後は徐々にいわゆる「修辞学」の文彩目録に還元されて形骸化し、活気を失った。批評家ロラン・バルトが１９７０年に総括して終焉を宣言した――彼はその2年前にもあるものの終焉を告げており、そちらの方が有名だが、それについては後に戻ろう――「旧修辞学」である。最初は万能なものに見える理論も、対象とするものとの結びつきが希薄に見えるようになると、途端に人為的な机上の空論に見え始め、興趣を失い、当初は抑えられていた「常識」的観点から反発を受けるようになる。バルトのもとで学び、新しい理論の伝播に寄与してきたアントワーヌ・コンパニョンが、１９９８年になって文学理論の概説書を出したとき、多くの章の表題をあえて、理論によって否定的に捉えられるようになった「文学」「作者」「歴史」「価値」といった概念の側――そう、「文学」そのものがそちらの側なのだ――に設定し、その批判を疑問に付すと共に、「理論」と「常識」の鬩ぎ合いそのものを主題としたのは象徴的である。理論の隆盛から数十年が経って、距離を取って理論を眺めることができるようになったとき、その逸脱や不整合が見えてくるということは当然ありうることである。コンパニョンの場合は、だからといって、「常識に戻れ」というような単純な主張をするわけではもちろんなく、冷静な距離を取って理論を眺める視点から行われる解説は概して説得的である。しかし、問題は、「理論」と「常識」という対立図式を「常識」の側から受け取り、理論を、一篇の小説や詩や戯曲を味わい愉しむ態度から遠ざける難解なものと捉え、常識を、その逆に、一篇の小説や詩や戯曲の感覚的な愉しみ方、と捉える素朴な理論観である。もし現在、そのような理論観から批評理論を敬遠する向きがあるならば、それはまったくの誤解であり、もったいないことだ、と声を大にして言いたい。

批評理論は数々の新しい概念を生み出したが、そのなかで、理論が、一篇の小説や詩や戯曲などを、私たち読者の一人一人が味わって愉しむことの全的な肯定である、ということをもっともよく示しているのが、本書で最初に取り上げる「テクスト」という概念である。とはいえ、先に言っておかねばならないが、この概念もまた、昨今では明らかに分が悪くなっている。昨今では、というのは、いかなるジャンルであれリーダブルなものが求められる時代では、ということである。というのも、「テクスト」というのは、味わい愉しむことをもたらすものであるのだが、しかしその味わいは、誰もが共通して受け取れるようなリーダブルなストーリーから得られる面白さとは異なるものだからである。「テクスト」の対概念は、そのような意味での「ストーリー」あるいは、一部のフィクション論論者が前提とする「虚構世界」だと言ってもよいだろう。粗筋として要約されるような「ストーリー」や統一的な「世界」として没入の対象となる「虚構世界」からはこぼれ落ちる細部にこそ、「テクスト」

の「テクスト性」はある。たとえば、近代フランス小説を代表するフローベールの長篇『ボヴァリー夫人』について、〈読書に耽溺し虚実の区別が付かなくなった女性エンマ・ボヴァリーが、平板な夫シャルルとの生活に失望して姦通を重ねた末に自殺する〉などと要約したとすれば、そのとき「テクスト」そのものはほとんど読まれていない（この件については、蓮實重彥「エンマ・ボヴァリーとリチャード・ニクソン」〔『表象の奈落』青土社、２００６年〕を参照された い）。「テクスト」は「ストーリー」だけでなく、ときに「ストーリー」に反することもある諸々の細部によって構成されている。その細部に目を凝らして読んでゆくのが「テクストを読む」ということである。そのとき初めて、現実の表象でも閉じた虚構世界でもない、テクスト上でのみ可能となった細部の連関が見えてくる。それを、あらためて、蓮實重彥は「**テクスト的現実**」と名づけている。しかし、少々先走りすぎたようだ。あらためて、「テクスト」という語に戻ろう。

この文章では先ほどまで、あえて「一篇の小説や詩や戯曲など」といったまどろっこしい言い方をすることで、「作品（work, œuvre）」という言葉を避けてきた。「作品」という言葉が取り逃がしてしまうものこそを問題にしたいからである。しかし、共通了解ができさえすれば、まどろっこしい言い方の代わりに用いたいのが「テクスト」という言葉である。「テクスト」は英語で書けばtextであるから、単に書かれた文章といった意味で教科書や課題文を指示している「テキスト」という語と、単語としては同じである。それが１９６０年代半ばあたりから、それまで意識されていなかった意味を帯びて用いられるようになり、日本語では便宜上「テキスト」と区別されて「テクスト」と表記されるようになっている。とはいえ、あらゆるテキストは「テクスト」だと言って言えないことはなく、むしろ、テキストを「テクスト」として読もうとする姿勢こそがここでの問題なのである。そして、それがいったんどういうものか——感触的に——わかってしまえば、「テクスト」はきわめて便利な、多用したくなる言葉となるだろう。では、テキストを「テクスト」として読む、とはどういうことか。それはいっけん容易に見えて、一筋縄ではいかないことである。

先ほど、理論に対する誤解として、理論は読書の感覚的な愉しみを遠ざけるのではないか、という懸念を挙げたが、これが誤解だと言えるのは、「テクスト」はある意味で、感覚的なものだからである。もっと言えば、触感に関わるものだからである。「テクスチャー(texture)」という言葉は誰でも知っているだろう。物の肌ざわりや質感という意味だ。だが、もともとは、織物やその織目、織り方、組成を表す言葉である。「テクスト」とは語源的に織物に由来しており、織物とは肌にまとって肌ざわりを愉しむものである。そして、肌ざわりにはなめらかだったりふわふわしていたりごわついていたりといろいろなものがあり、自分の好きな触感、好きになれない触感があるだろう。好きな触感のものはまた触ってみたくなるだろう。それが、「テクスト」に愛着をもつということである。「テクスト」とは愛着をもつことができるものである。では逆に、愛着をもつことができるものとはどのようなものだろう。ある作家の思想というのは、それに賛成不賛成ということはあっても、愛着の対象になるだろうか。ならないだろう。あるひとまとまりの文章から、それを書いた人の言いたいことを要約的に取り出す、そのような練習は国語や小論文の勉強で盛んに行われているだろうが、そのような「命題」に愛着をもつということは考えにくい。私たちが愛着をもち、肌にまとって味わうのは、命題から取りこぼされる、ときに命題に反することもある、枝葉末節にも見えるものである。それは、もしかすると他の人には気づかれないテクスチャーであるかもしれない——このように言うと、「文体」のことだと思われるかもしれないが、それだけではない。その織目組織《テクスチャー》は、もしかすると、テクストが生まれてから何世紀も経ってから、いま初めてほどかれるものであるかもしれない。

テキストからテクストへ

構造主義からポスト構造主義への移行期——こうした呼称は事後的に、英米圏で付けられたものにすぎないが——であり、五月革命という歴史上の画期でもあった1968年に発表された論文、あるいはテクストの冒頭で、哲学者ジャック・デリダは次のように書いた。

一個のテクストがテクストであるのは、最初に見たとき、それが最初にやって来る誰に対しても、その構成の法とゲームの規則とを隠しているかぎりにおいてである。そもそも、テクストとはつねに知覚不可能にとどまるものである。〔…〕テクストの織目組織《テクスチャー》が隠蔽されているために、その布地をほどくのに何世紀もかかるということもあるだろう。布地を包み込む布地。布地をほどくのにかかる幾世紀。布地をほどく作業は、また布地を組織体として再構成する。（「プラトンのパルマケイアー」藤本一勇訳、『散種』法政大学出版局、2013年、93－94頁）

いくつも注釈したくなる点があるが、まず、「一個のテクストがテクストであるのは」とは、「一個のテキスト――命題を取り出したり主旨を要約したりするための材料であるような文章――が、「テクスト」――襞とテクスチャーをもった、愛着の対象となる織物――であるのは」、ということである。「テクスト」であるかぎり、それはその「構成の法とゲームの規則」を隠しており、なおかつ、「知覚不可能」であるのだという。「知覚不可能」ではあるが、触感までは否定されていないと言ってよいだろう。さて、続く文で「何世紀も」と言われているのは、これからほどかれようとしている「テクスト」が、紀元前4世紀の哲学者プラトンの書いた『パイドロス』という書物だからである。先ほど、命題は愛着の対象となるか、という問いに否定的に答えたが、西洋哲学の祖と言われるプラトンの書いた哲学書は、それまでもっぱらプラトン（あるいはその師ソクラテス）の哲学的な命題を抽出すべき材料＝テキストと捉えられてきた。それを初めて「テクスト」として捉え、その襞をほどいてみせたのがデリダなのである。そして先の引用で言われているように、そのようにテクストをほどくとき、その言葉自体もテクスト（「布地を包み込む布地」）となる。デリダの論文が同時にテクストでもある所以である。プラトン論の冒頭でこのようにプラトンの対話篇を「テクスト」とみなすと宣言するということは、少なくとも哲学研究の領域において、相当にショッキングなことだったに違いない。とはいえ、その後この論文がフランス語訳『パイドロス』の文庫版に前書きとして収められるようになったところを見ると、『パイドロス』が「テクスト」であることは哲学研究において認められるようになったと考えてよさそうである。哲学書をテキストとしてではなく「テクスト」として見る視線が哲学研究の常識を変えたのである。それはもちろん、右記の宣言に続いて、『パイドロス』が実際に「テクスト」としてほどかれ、従来の読解では出てこなかった相貌を現したからである。それはどのような姿であったのか。

詳細については実際にテクストにあたっていただくに如くはないが、人々を驚かせたテクスト読解のごく一部分を紹介しておこう。デリダはまず、ソクラテスと弟子パイドロスの対話において、従来『パイドロス』の主題とみなされてきた恋（エロース）と弁論（ロゴス）についての議論が終わった後で、「書くこと」の功罪をめぐる議論が現れることに注目する。しかし、それだけならば、すでにある程度は指摘されていたことである。デリダの視線は、ソクラテスがその議論のなかで、「話すこと」の生き生きとした性質を称揚し、「書くこと」の二次的で不活性な、かつ、内的記憶を脅かす性質を断罪するために、ある神話を持ち出していること、そして、その神話に依拠して「話すこと」の第一次性を示そうとしながら、「話すこと」について語るときに無意識のうちに、「書くこと」にまつわる比喩――「魂のなかに知識とともに書き込まれる言葉」「黒い水をつけて書く」（『パイドロス』276ac）など――

を用いていることに向かう。さらにデリダは、そこで依拠される神話が、実のところ、ソクラテスとパイドロスがアテナイの郊外で出会い、共に街の外へ向かって歩き出す対話の冒頭場面と何重もの形で絡み合っていることを暴いてゆく。たとえば、問題の神話で「書くこと」は「想起の秘訣《パルマコン》」（275A）だと言われるのだが、この「パルマコン」という語は毒と薬を同時に意味する語である。この語は、冒頭場面で二人の近くに流れる川にまつわる言い伝えをソクラテスが話して聞かせるとき、そのなかに派生語「パルマケイア（命を失わせる泉）」の形ですでに現れている。ソクラテスはその言い伝えを語りながらも、自分はそのような神話的な説明は真理からの遠ざかりになるから避けるのだと述べており（230a）、書物や書くこと、また内容空疎な弁論に対する彼の批判もこの主張の延長線上に現れることになるのだが、しかし、対話の始まりをよく読んでみると、ソクラテスの立場は首尾一貫しないものに見えてくる。というのも、ソクラテスは、パイドロスが外套の下に隠し持っている書物（228d）に惹きつけられ、パイドロスがその書物を書いた弁論家リュシアスから聞いてきた話を聞き出すべく、一緒に街の外へ歩き始め、ついには、「どうやら君は、ぼくを外へ連れ出す秘訣《パルマコン》を発見したようだね」（230d）と漏らす。そう言いながらソクラテスは草の上に横になり、エロースをめぐるリュシアスの書物を読むようパイドロスに促し、こうして本論たるエロースをめぐる対話が始まるのである。自己省察を旨とするソクラテスはアテナイの街から出ないことで有名であり、その彼が外に連れ出されたということは、よっぽどの誘惑があったということである。そのソクラテスを「外へ連れ出す秘訣《パルマコン》」とは、「書物のなかの話」（230d）に他ならない。この「秘訣」と訳されている語が「パルマコン（毒＝薬）」である以上、『パイドロス』というテクストは、冒頭から、ソクラテスが、後に自身が危険な技術として断罪することになる**「書くこと＝書かれたもの《エクリチュール》」**に誘惑されていることを、テクストレベルで明かしていることになる。デリダは言う。「すでにしてエクリチュールが、パルマコンが、道の踏みはずしがあるのだ」（106頁）。高橋哲哉がその見事な解説で述べているように（『デリダ』講談社学術文庫、2015年、62－65頁）、冒頭場面は本論の後に現れる「書くこと」論の「不吉な伏線」になっている。しかも、後者の「書くこと」論においては、「書くこと」が人間を堕落させる有害な技術であるという主張は、ソクラテス自らの名においてではなく、神話の引用によって、すなわち、冒頭場面において自らが批判している言説の形で行われるのである（99－106頁）。

このような読解から私たちに示されるのは、ソクラテス＝プラトンの哲学的命題だろうか。そうではない。そうではなく、テクストが、ソクラテス＝プラトンがそのなかで明示している命題を裏切る形で作用している、ということである。言い換えれば、テクストは、確かにソクラテスの語りを伝えたプラトンの著作であるにもかかわらず、ソクラテス＝プラトンの意識および彼らの対話や執筆の意図とは別様に作用している。なぜか。なぜなら、テクストは、それが書かれて残されたもの《エクリチュール》である限り、その起源としての意識からすでに切り離されて「漂流」しているからである。それゆえ、プラトンの著作を「テクスト」として眼差す視線が発見するのは、プラトン哲学の創始者たるプラトンにとっての他なるものである。「テクスト」を読むとは、ひとつのテキストの内部に、その作者にとっての他者を発見することである。デリダにまつわる用語で言えば、それが、プラトンのテクストを脱構築的に読むということ、あるいは、テクスト読解によってプラトン主義を脱構築するということである。「テクスト」とは何より「読むこと」と切り離せないものだということが、以上から明らかだろう。と同時に、テキストを「テクスト」として読むということが、容易に見えて一筋縄ではいかないということの意味も、以上から理解されるだろう。「テクスト」を読むということは、味わうことでありながらも、虚心坦懐に字面を追うことではないのである。

デリダの例によってハードルを上げることはけっして私たちの狙いではない。むしろ、対象をこのような意味で「テクスト」として読解すること自体は、実のところ、文学研究にとどまらず、理論的文章を含めて、書かれたものを対象とする研究一般の基礎であると考えている。書かれたものを「テクスト」として読むことは、巷に流通する言説やイメージを鵜呑みにすることなく、文章に何が書かれてあるかを自ら細部に至るまで確認すること、文章から単一の命題を取り出して済ませることなく、作者あるいは何らかの権威的存在に配慮することもなく、内部の齟齬や矛盾を批判的に検証することだからである。

しかし、デリダは1人だけで以上のような「テクスト」という概念に辿り着いたわけではない。1968年に「テクスト」について先のような大胆な序文を書くことができた背景には、文学研究の領域での粘り強い異議申し立ての運動があった。ただし、これは批評理論全般について言えることだが、ひとまず同じ「テクスト論」という枠に入れられるとしても、個々の批評家の間には看過できない差異がある。実際、先の引用に続く箇所で、デリダは、「今日安易にそう考えられているように、読むことと書くことにある一体性があるとしても、すなわち読むことは書くことであるとしても、この一体性は、差異のなくなった混同でもなければ、一切の休息の同一性でもない」（94頁）と述べている。ここに表出されているのは、同時代の単純化されたテクスト論への違和感である。そのことを断ったうえで言えば、デリダが「テクスト」という言葉をこのように使う素地を作ったのは、すでに名前を挙げた批評家ロラン・バルトである。彼は1960年代、旧来の権威的な文学批評に対して果敢に闘いを挑んでいた。その経緯を辿ってみよう。

作品からテクストへ

デリダがプラトンの著作を「テクスト」として読むことで哲学研究の常識を変えたとすれば、文学作品を「テクスト」として読むことで文学研究の常識を変えたのはバルトである。その移行期には、後年の繊細で味わい深いバルトの文章からは想像もできないような、激しい文章が書かれている。1966年の小著『批評と真実』を繙いてみると、冒頭から、あまり穏やかとは言えない言辞が続く。それは、彼が3年前に刊行した『ラシーヌ論』、およびそれに代表させる形で、当時現れてきていた新しいタイプの批評を攻撃する書物が前年に刊行されたからである。ソルボンヌ（パリ第四大学）の教授にしてラシーヌ研究の権威であったレーモン・ピカールによる『新しい批評《ヌーヴェル・クリティック》、または新しい欺瞞』である。ピカールへの反論として書かれた『批評と真実』は、しかし、単に自著を擁護するようなものではない。むしろ、権威ある者が文学研究を牛耳ることや、その盲目的な実証主義に対する痛烈な批判にして、来るべき批評のあり方についての提言となっている。その結果、文学作品は作者の明晰な意図に基づいて創造されるという旧来の文学観に基づいた文学研究と、作品は作者の意図から切り離されて意味作用を形成するという新しい文学観に基づいた文学研究との対立が、新旧論争の様相を呈することになった。そして、この論争の延長線上で翌年書かれたのが、それこそ作者の思惑を超えて世界的な影響を及ぼすことになった論文、「作者の死」（英訳発表１９６７、仏語発表１９６８）である。この論文が新旧論争に一挙に形勢逆転をもたらすことになったのは、おそらくその刺激的な表題に拠るところが大きいのだが、このような表題が付けられたのも、背景にピカールらとの論争があったからである。ここですぐさま付け加えておかねばならないのは、「作者（auteur/author）」という語が、フランス語でも英語でも、語源的に「権威（autorité/authority）」という語と結びついていることである。「作者の死」という表現は、それだけで反権威的な意味作用を放っていたのである。

しかし、テキストを「テクスト」として読む姿勢を瞥見した私たちとしては、「作者の死」という論文に対しても、その雄弁な表題に惑わされず、それがいかなる糸で織り上げられ、そこで何が行われているのかを見定めたいところである。詳細な読解を展開する余裕はないが、実際のところ、本文には、「作者の死」という表現はただ一度、締め括りの一文に現れるだけである。では、本文では何が行われているのか。全体として行われているのは、一つには、文学的テクストには、作者の言葉ではなく、誰が語っているのか定かでない言葉、つまり、非人称的な言葉が存在することを指摘し、その言葉を「書くこと＝書かれたもの《エクリチュール》」と呼びつつ、フランスにおいてそのような言葉を探究してきた者たちの系譜を辿ることである。フランスという限定がなければ、構造主義文学理論の支柱となったロシア・フォルマリズムや、作品の自律や精読を重視した新批評《ニュー・クリティシズム》も入るべきところだが、実際に示される系譜は、〈マラルメ－ヴァレリー－プルースト－シュルレアリスム－現代の言語学〉というものである。最後の項目において念頭に置かれているのは、当時バルトが傾倒していた言語学者、**エミール・バンヴェニストの発話理論**、および、その背後に見出されるオックスフォード学派の**言語行為論《スピーチ・アクト・セオリー》**である。

　ここでも、やはり批判的な視点で系譜を眺めておこう。〈**非人称性的な言語**としてのエクリチュール〉探究の系譜として捉えるなら、この系譜には、たとえば詩人アルチュール・ランボーや批評家モーリス・ブランショといった名前が欠けており、その一方で、あくまで「発話《スピーチ》」の探究である発話理論は浮いていると言わざるをえない。そのような不自然さにもかかわらず、バルトがこの系譜を提示するのは、後半で主張されること、すなわち、作品ならぬテクストを創造するのは作者ではなく読者だ、ということを、最先端の発話理論がよく正当化するように見えたからだろう。バンヴェニストの発話理論は、「私」という主体は「私」という言葉が発話されるその瞬間に立ち上がる、と説くのだが、バルトにとっては、それと同じように、テクストは読者によって読まれるたびにそのつど新たに立ち上がってくる、と思われたのである。そしてこのバルトの確信が、論文末尾に一度だけ見られる「作者の死」という措辞を導くことになる。

全体を締め括るのは次のような一文である。「読者の誕生は、「作者」の死によってあがなわれなければならないのだ」（「作者の死」『物語の構造分析』花輪光訳、みすず書房、１９７９年、89頁）。「あがなう」という神学的かつ経済的な表現も手伝って、作者か読者かの二者択一が必然であるかのように見せるこの断言は、少し考えてみれば根拠に欠けており——なぜ作者も読者もいるのではいけないのか——、「明らかに軽率」（蓮實重彥『物語批判序説』１９８５年、講談社学術文庫、２０１８年、276頁）である。しかし、反権威主義的な闘争を背景としたこの二者択一の「軽率さ」が、この論文に、世界の文学研究の常識を一変させる力を与えたのも確かである。その結果もたらされた新しい潮流には、とりわけ英米圏において、ポスト構造主義とかテクスト論（主義）とかいった呼称が与えられ、そこには物語論《ナラトロジー》や脱構築批評などが入るとみなされるようになる。バルト自身が「作者の死」執筆時に進めていた物語分析、すなわち、バルザックの中篇『サラジーヌ』をめぐる『Ｓ／Ｚ』（１９６８）も、そこに含まれる。この分析は、できるかぎり作者も作者の他作品も考慮することなく、自らが対象テクストをいかに読むかを見つめる、「読むこと」のきわめて微細な記録となっている。

かくして、「テクスト」とは何より「読むこと」の問題だということが、バルトにおいて、あらためて確認される。バルトが「作者の死」において描き出したのは、「作者」から「読者」への主導権の委譲を通した、「作品」から「テクスト」への移行、また、「文学」から「書くこと＝書かれたもの《エクリチュール》」への移行であった。以後、文学作品を権威ある作者に帰属させ、作者の意図を探ろうとする代わりに、起源をもたない「テクスト」として読もうとする読み方が肯定されるようになる。「テクスト」は「作者の死」において、次のように導入されている。

> テクストとは、一列に並んだ語から成り立ち、唯一のいわば神学的な意味（つまり、〈作者＝神〉の「メッセージ」ということになろう）を出現させるものではない。テクストとは多次元の空間であって、そこではさまざまなエクリチュールが、結びつき、異議を唱えあい、そのどれもが起源となることはない。テクストとは、無数にある文化の中心からやって来た引用の織物である。（「作者の死」、85－86頁）

ここに簡潔に与えられた定義は、その3年後、まさしく「作品からテクストへ」という論文において、さらに七つの命題に分かれて、「作品」との差異において詳述されることになる。それによれば、「テクスト」とは、（1）「横断」の運動によって構成され、（2）古い分類を覆す力を有し、（3）言語外の記号内容《シニフィエ》に送り返されるのではなく、記号表現《シニフィアン》の場で換喩《メトニミー》的に無限にずれ続け、（4）引用と参照と反響に織りなされ、間テクスト性《インターテクスチュアリティ》にとらえられ、（5）起源をもたず、（6）書くこと《エクリチュール》と読むことの差異をなくし、そして最後に、（7）快楽によるアプローチを迎え入れるものだ、ということになる（「作品からテクストへ」『物語の構造分析』、94－103頁）。とはいえ、このような定義は、それだけではあまりにも抽象的で、「テクストの快楽」を十分に伝えてくれるものとは言えまい。

「読むこと」とテクストの快楽

しかし、さらに2年後の『テクストの快楽』（1973）になると、論文から断章体に変わったテクストが、なるほど、次のように、「テクストの快楽」を伝えてくれるようになる。

愛する者と一緒にいて、他のことを考える。そうすると、一番よい考えが浮ぶ。仕事に必要な着想がいちばんよく得られる。テクストについても同様だ。私が間接的に聞くようなことになれば、テクストは私の中に最高の快楽を生ぜしめる。読んでいて、何度も顔を挙げ、他のことに耳を傾けたい気持に私がなればいいのだ。私は必ずしも快楽のテクストに捉えられている訳ではない。それは、移り気で、複雑で、微妙な、ほとんど落着きがないともいえる行為かもしれない、思いがけない顔の動き。われわれの聞いていることは何も聞かず、われわれの聞いていないことを聞いている鳥の動きのような。（『テクストの快楽』沢崎浩平訳、みすず書房、1977年、46頁）

こうなると、テクストははっきりと愛の対象になる一方で、「読むこと」は本当に自由なものとなる。字面を追うことをやめ、物理的なテキストから顔を上げ、ごく個人的な連想に耽り始めたときにも、「読む」行為は続いているというのだから。誰かから本の一節を聞き、そこからその本の世界とはほとんど関係のない空想を始めたとしても、それも「読む」行為だというのだから。むしろ、そのときに「読ま」れているものこそ「テクスト」であり、ということは、そのように「読む」者は「書いて」もいるのだ、ということになるのだから。

そのとき、「読むこと」は、一字一句同じ濃度と速度で機械的に吸収していくことの対蹠点にあって、「移り気で、複雑で、微妙な、ほとんど落ち着きがないともいえる」、きわめて個人的で、そのたびごとに異なる行為となる。このような「読むこと」の拡大を究極的に推し進めたところには、現代の批評家ピエール・バイヤールの一連のユーモラスな読書論（『アクロイドを殺したのは誰か』大浦康介訳、筑摩書房、2001年、『シャーロック・ホームズの誤謬「バスカヴィル家の犬」再考』平岡敦訳、東京創元社、2011年、『読んでいない本について堂々と語る方法』大浦康介訳、ちくま学芸文庫、2016年）がある。

バルトにおける「読むこと」の拡大は、「テクストの快楽」を追求するあまり、蓮實重彦の「テクスト的現実」ともデリダの脱構築的テクスト読解でほどかれる「テクスト」とも異なる「テクスト」をもたらすように見える。しかし、そこにあるのは本当に乖離だろうか。批評的であることと快楽を得ることは矛盾しない。むしろ逆である。重要なのは、「テクスト」が、それが表象する全体像を得るといったこととは無縁の、個人のほとんど触覚的な経験としての「読むこと」によりもたらされるものであり、その無数の襞が、一見制御され、完成したかに見える「世界」を次々と錯綜させ、齟齬に満ちたものにしてゆくことである。

▼用語解説

フィクション論

古代ギリシアの哲学者アリストテレスは虚構的物語（フィクション）の機能を「行為の再現（ミメーシス）」に見出した。しかし、文学理論が「フィクションとは何か」という問いに正面から取り組み始めたのは比較的最近のことにすぎない。20世紀のいくつかの重要な貢献を経て、1990年代以降、フィクション論という領野がにわかに隆盛を見せるようになった。とはいえ、この隆盛は、文学理論の内部から出てきたというよりも、分析哲学における語用論的な虚構論や可能世界論を参照することにより始まったものである。文学理論がもっとも影響を受けた語用論的な虚構論は、1975年に発表されたジョン・R・サールの論文「フィクションの論理的身分」である。

サール以前の文学理論におけるフィクション論は、主として、フィクションの言語を日常言語から分かつ形式的特徴を探求するもので、ケーテ・ハンブルガー『文学の論理』（1957）に代表される。ハンブルガーは、対象とするフィクションを三人称小説に限定し、三人称小説が、現実にはいかなる観察者も到達できない登場人物の内的主観的経験を伝えることに注目した。

しかし、言語行為論の観点からフィクションを位置づけようとするサールは、小説の一節と新聞の一節を比較したときに形式的な差異を見出すのは難しいと指摘し、フィクションの作者は「真面目な」行為遂行的発話を遂行する「ふりを装っている」と主張した。

物語論の創始者ジェラール・ジュネッ

トは、『フィクションとディクション』（1991）において、このサールの見解に対し、言語行為論的にフィクションの言語を捉えるという視点を受け入れた上で、部分的に修正を施した。すなわち、「昔々、森のはずれに母と暮らす小さな女の子がいた」というフィクションの言語も、「～いたと想像してください」、「～いたとする」といった言明の省略形とみなせば、行為遂行的発話の一種と考えられる。ジュネットはまた、サールにおける「真面目」と「不真面目」の区別を脆弱だと批判した。以後、ジャン＝マリー・シェフェール『なぜフィクションか？』（1999）など、サール、ジュネットの延長線上で多くのフィクション論が提出されている。

テクスト的現実

文学作品を表象の枠組みのなかで捉え、統一的な「虚構世界」の存在を想定する作品解釈に抗して、文学テクストには言語が表象機能においてではなくそのものとして露呈されているという観点から、その言語的な「現実」を見出そうとする批評家、蓮實重彦の概念。

蓮實は長年にわたり、「テクストを読む」ことができていない文学理論家が絶えないことを嘆いていたが、フィクション論の理論家たちに対してはとりわけ手厳しい。彼らは作品をめぐって流通する言説を盲信し、そこから作品の要約を行うばかりで、テクストにはまったく「無感覚」であり、テクストを「差別」してすらいるからである。蓮實にとって、本文中に示したような『ボヴァリー夫人』

の「要約」をする者がテクストを読んでいないと言えるのは、何よりも、この作品に「エンマ・ボヴァリー」という固有名詞は一度も書き込まれていないからである。にもかかわらず「エンマ・ボヴァリー」を主語として要約を作るとき、それは「テクスト的現実」に背馳することになる。

テクストに対するそうした「無感覚」に抗して、蓮實は『「ボヴァリー夫人」論』において、『ボヴァリー夫人』という「テクスト」を、その「テクスト」性において読む。45年の構想を経た、その読む行為《レクチュール》は850頁にわたる。いっさいの没入的、心理的読解を斥ける蓮實にとって、「テクスト的現実」とは、写実的または空想的な文学作品によって表象される、あらかじめどこかに存在する「現実」のことではなく、書かれた言語の表層における言葉の配置、細部の齟齬や類似、反復、ストーリーに寄与しない過剰な描写によって構成される「現実」のことである。その「現実」を見出すために用いられるのは「主題論」という手法である。「塵埃」や「頭髪」、「気化」といった「テーマ」に着目することで、杜撰な読みから逃れ落ちるテクストの新たな「現実」が取り出される。

エクリチュール

「エクリチュール（écriture）」は、フランス語で「書くこと」および「書かれたもの」を意味する名詞だが、20世紀フランスの批評理論において、モーリス・ブランショ、ロラン・バルト、ジャック・デリダといった批評家、哲学者によって概念化されて追究された。

バルト（1915－1980）においては、

エクリチュール概念は時期によりその意味を変えるが、この語を冠した初期の論集『零度のエクリチュール』（1953）では、社会との関係性によって変容する作家の文学言語のありようのことである。

ブランショ（1907-2003）は「エクリチュール」を生涯追究し続けた批評家である。ブランショにとって「エクリチュール」とは、完成した作品や書物とは異なり、誰にも帰属しない無為の言語の営みである。主著『文学空間』などにおいて、ブランショは、多くの作家、とりわけマラルメとカフカの作品や文学言語論の検討から、書くことは「本質的な孤独」の空間を開く、終わりのない、たえまない営みであり、そこでは書く主体としての「私」は消失し、誰でもない誰かが生ずるのだと論じた。話者の不在と反復を原則とするエクリチュールを言語の可能性の条件に据える姿勢は、デリダに受け継がれ展開された。

デリダ（1930-2004）において、「エクリチュール」という概念が問題になるときに前提とされているのは、西洋形而上学の長い歴史において、発話者の声で直接発せられる話し言葉（パロール）に対し、発話者が現前せず、ゆえに誤解や誤配の可能性に満ちた記号であり痕跡である書き言葉＝文字（エクリチュール）が、前者の二次的な補助手段として貶められてきたことである。脱構築と呼ばれるデリダの読解戦略は、プラトン以来の形而上学がこのような階層秩序の上に構築されていることを示すと共に、声により自己に現前すると考えられてきた諸概念が、反復されることを条件にしていることにおいて、エクリチュール的なものによって支えられていることを明らかにした。

脱構築

フランスの哲学者ジャック・デリダによる、西洋形而上学に対する批判とも否定や破壊とも異なる対峙の仕方を表す概念。「脱構築（déconstruction）」は、初期の代表作『グラマトロジーについて』（1967）で導入され、元来は、ハイデガーにおける「解体（Destruktion）」という語の訳語であった。デリダ自身は概念として前景化させていたわけではないが、デリダの思想がポール・ド・マンらのイエール学派を通じて英語圏で、とりわけ文芸批評の文脈で広まる際に、デリダおよびそこから派生した思想潮流のテクスト読解の手法を指すものとして受容され、1980年代からは、デリダ自身も受け入れて用いるようになった。

脱構築的なテクスト読解において行われるのは、基本的に、対象が明示し、前提としている形而上学的、すなわち階層秩序的な二項対立図式（真／偽、真理／仮象、生／死、理念／物質、同一性／差異、など）が、当のテクストの内的矛盾によって、実のところ純粋な形では成立しないことを露呈させることである。

初期のデリダのエクリチュール論では、プラトン、ルソー、フッサール、ソシュール、レヴィ＝ストロースといった、古代から同時代に至る様々な思想家たちのうちに、自己現前的な主体の意識やロゴスを直接的に表出する話し言葉（パロール）を優遇し、書き言葉（エクリチュール）をその外的な補助手段にすぎないものとして貶める音声ロゴス中心主義が潜んでいることが暴かれる。と同時に、そのことを言おうとする彼らのテクスト自体において、パロールのエクリチュールへの依存構造が現れていることが示される。それによって、エクリチュールのような反復可能な記号であり痕跡であるものが、自己現前的なものと考えられてきたロゴスの可能性の条件であり、また、形而上学はそうした記号や痕跡を排除することにより自己を成り立たせてきたことが露わにされる。かくして、脱構築的なテクスト分析とはつねに、対象テクストの自己脱構築を促すことである。

ディスクール／イストワール

　フランスの言語学者エミール・バンヴェニスト（1902-1976）は、論文「フランス語動詞における時称の関係」（1959）において、発話は時称と人称によって「ディスクール（話《わ》）」と「イストワール（物語・歴史叙述）」に二分されるという命題を提示した。イストワールとは歴史や物語を叙述する語りであり、書き言葉にしか用いられないとされる。その基本的な時称は「語り手の人称の外にある出来事の時称すなわち無限定過去《アオリスト》」（フランス語では単純過去）であり、用いられる人称は三人称である。ただしバンヴェニストは、「この三人称は人称の不在である」と言う。なぜなら、イストワールに語り手は存在せず、「誰一人話す者はいないのであって、出来事自身が自ら物語るかのようである」からである。この一文は、言語学を参照しつつ文学言語を非人称的なものとして思考しようとするアン・バンフィールドらを惹きつけた。

　ディスクールは、時称と人称に関して、イストワールの対蹠点にある。すなわち、ディスクールとは「話し手と聞き手とを想定し、しかも前者において何らかの仕方で後者に影響を与えようとする意図のあるあらゆる言表行為」である。用いられる時称は無限定過去《アオリスト》（単純過去）を除くすべてであり、人称は幅広く用いられるものの、基本となるのは「私」と「あなた」である。

『一般言語学の諸問題』（１９６６）では、以上のように区分された語りのうちディスクールについての理論が展開される。上記のように、バンフィールドらはバンヴェニストのイストワール概念を文学理論に援用しようとしたが、ロラン・バルトや物語論の確立者ジェラール・ジュネット（１９３０－２０１８）などはむしろ、ディスクール理論を文学理論に援用しようとしたため、バンヴェニスト自身の議論との捻れが生じている。

言語行為論

オックスフォード学派の言語哲学者ジョン・L・オースティン（１９１１－１９６０）が創始した言語理論。１９５５年の講義をまとめた『いかにして言語でことを為すか（*How to do things with words*）』（１９６０、日本語訳『言語と行為』）によって提示され、20世紀後半の思想、批評理論にきわめて大きな影響を与えた。

オースティンによれば、従来、哲学は真理を追求するものとされ、言語哲学の対象は検証可能な、すなわち、真偽を確かめることのできる文であると考えられていた。しかし、何かを言うことはつねに何かを陳述するであるというのは誤った想定であり、一見、記述文に見える文も実際にはそうでないことがある。そこで、オースティンは、真偽を検証できる事実確認的発話（constative utterance）とは別に、真偽の検証になじまない言説、すなわち、発話することが何らかの事実の記述ではなく、同時に何らかの行為の遂行であるような発話を行為遂行的発話(performative utterance)と呼び、その作用を具体的事例に即して細かく検証した。

行為遂行的発話は、約束(「明日その本を持ってくると約束します」)、命名(「この船をクイーン・エリザベスⅡ号と命名します」)、誓約(「あなたを幸せにすると誓います」)、賭け(「明日晴れる方に百円賭けます」)、宣言(「運動会を開会します」)といった日常的な発話行為であることが多い。これらの発話行為において問題となるのは真偽ではなく、行為が適切に遂行されるか否か――適切(happy)/不適切(unhappy)――である。数々の検証を経て、オースティンは、事実確認的に見える発話も相手に何らかの影響を及ぼしている場合が多いことに気づき、行為遂行的発話の概念を広げるに至った。

哲学者ジャック・デリダは、言語行為論の一部の側面について批判を行い(「署名 出来事 コンテクスト」『哲学の余白』)、オースティンの後継者と目されるジョン・R・サール(1932-)と論争を行った(『有限責任会社』)。

言語の非人称性

文学の言語は特定の誰かによって語られているのではない非個人的で非人称的なものである、という考え方にはいくつかのヴァリエーションがある。ひとつは、『ボヴァリー夫人』などを著したフランスの作家ギュスターヴ・フローベール(1821-1880)に見られるもので、小説においては客観的な描写が肝要であり、そこに作者の声が聞こえてはならないとされる。作者は舞台から離れたところに神のように存在し、それによって作品に美的距離が生まれると考えられた。

19世紀末の象徴派詩人ステファヌ・マラルメ（1842－1898）の場合は、このような作者の超脱とはやや異なっている。彼はまず、1860年代に精神的危機に陥った後、友人に宛てて、「幸いなことに私は完全に死んだ」、「いまや私は非個人的＝非人称的（impersonnel）である」、「もはや君の知っていたステファヌではない」と書き送った。そして晩年の著作『譫言集《ディヴァガシオン》』においては、「純粋著作は詩人の語り手としての消滅を必然の結果としてもたらす。詩人は主導権を語群に、相互の不等性の衝突によって動員される語群というものに譲る」、また、「書物《ヴォリューム》というものは、非人称化されて（impersonnifié）、ひとが作者としてそこから離れるのと同じように、読者の接近も求めないのだ」と記し、作品の作者および読者からの絶対的自律を説いた。

20世紀の批評家モーリス・ブランショは、主著『文学空間』（1955）などにおいて、こうした文学者の系譜を辿りつつ、非人称性を文学言語の特性として追究し続けた。とりわけカフカの物語のうちに誰のものでもない言葉を見出し、それを語り手の声と区別して「語りの声」と呼んだ。

もっと〈テクスト〉について知るための10冊

ロラン・バルト『テクストの快楽』沢崎浩平訳、みすず書房、1977年。

ロラン・バルト『物語の構造分析』花輪光訳、みすず書房、1979年。

ロラン・バルト『言語のざわめき』花輪光訳、みすず書房、1987年。

ジャック・デリダ『散種』藤本一勇・立花史・郷原佳以訳、法政大学出版局、2013年。

モーリス・ブランショ『カフカからカフカへ』山邑久仁子訳、書肆心水、２０１３年。
J・L・オースティン『言語と行為』飯野勝己訳、講談社学術文庫、２０１９年。
エミール・バンヴェニスト『一般言語学の諸問題』岸本通夫監訳、みすず書房、１９８３年。
蓮實重彦『物語批判序説』講談社学術文庫、２０１８年。
蓮實重彦『表象の奈落』青土社、２００６年。
蓮實重彦『「ボヴァリー夫人」論』筑摩書房、２０１４年。
ピエール・バイヤール『読んでいない本について堂々と語る方法』大浦康介訳、筑摩書房、２００８年、ちくま学芸文庫、２０１６年。

第2章

読む

執筆―三原芳秋

まず、はっきりしておきたいのは、作品を読むとは作品と出会うこと（encounter）であり、出会いとしてそれは、深い意味での一つの歴史的経験に他ならないという点である。経験はたえず期待を裏切り、あらかじめ用意された方法や理論をのりこえたり、そこからこぼれ落ちたりする。

「まず、はっきりしておきたい」などと、いきなり啖呵を切られて驚いたかもしれないが、実はこれは本章の担当者自身のことばではなくて、西郷信綱という古典学者が大著『古事記注釈』の冒頭においたマニフェスト的な序文「古事記を読む――〈読む〉ということについて」のなかの一節である（『古典の影』に再録）。〈読む〉とは〈出会い〉の経験にほかならない、などと言ってはあまりにナイーヴに聞こえるだろうが、これにフランスの思想家ジル・

ドゥルーズの以下の断言を重ねれば、この章で言いたいことはほぼ尽くされているように思える――「世界のなかには、思考せよと強制するなにものかが存在する。このなにものかは、基本的な出会いの対象であって、再認の対象ではない」（『差異と反復』）。

〈読む〉＝〈出会い〉の驚き

〈読む〉とは〈出会う〉こと――と言ってみたところで、国語の試験では「正解」を強制され、インターネット上では「まとめサイト」や「知恵袋」にクリック一つで「アクセス」を誘導される現代にあって、〈読む〉ことを真に〈出会い〉として経験するのは極めて困難になっているのが、実際のところだろう。とはいえ、そんな時代にあっても、みごとな〈読み〉が披露されている（批評）作品を読むことによって〈出会い〉を追体験するという幸運に恵まれることは、しばしばある。たとえば、誰もが知っている松尾芭蕉の有名な句

古池や蛙飛《かわずとび》こむ水のおと

これはあまりに有名すぎて、はたしてこの句をはじめて目に／耳にした――文字通り「出会った」――のがいったいいつ・どこでの出来事だったのか、思い出せる人はほとんどいないだろう。そんな「〈出会い〉不可能」とでも呼びたくなる「古池や」の一句にたいして、長

谷川櫂という現代の俳人――俳句を詠《よ》む＝読む人――が、目の覚めるような〈読み〉を展開した（詳しくは『俳句の宇宙』『古池に蛙は飛びこんだか』『「奥の細道」をよむ』の三部作を参照）。「古池に蛙が飛びこんで水の音がした」という通常の解釈には、その意味づけに多少の濃淡はあれ、まったく疑問の余地がないように思われるが、現代の俳人はその三百年来の解釈を真っ向から否定し、「古池に蛙は飛びこまなかった」と推論する。しかもそれは、奇をてらったたんなる思いつきではなく、根拠にもとづく〈批評〉のかたちをとっているのである。「蛙飛びこむ水のおと」の七五がまず得られたあとに「古池や」の上五をいくつかの候補のなかから選びだしたという事実を弟子の手記から見いだしたうえで（実証的根拠）、「古池に」ではなく「古池や」という切字を用いたことの修辞的意義への洞察を加えることによって、この五七五にあるのは一続きの現実描写ではなく、「蛙飛びこむ水のおと」という現実世界の音が（現実にはない）「古池や」という〈心の世界〉の扉を開いた――すなわち、ふたつの異なる次元がこの五／七五において切り結んだ（＝出会った）、という斬新な〈読み〉が示されたのだ。しかも、これを「古池や」一句の個別的な分析に留めずある種のジャンル論として発展させ、「芭蕉開眼」――俳句の世界における「蕉風」と呼ばれるひとつのジャンルの確立――の意味を確定し、それ以降に現れる「古池型」の句の〈読み〉に応用する。たとえば、「古池や」に負けず劣らず有名な

閑《しずか》さや岩にしみ入《いる》蟬の声

は、『奥の細道』（1702）の後半、山形の立石寺で詠まれた句だが、ここでも「閑さのなかで岩にしみ入る蟬の声を聞いた」という通俗的な解釈を否定し、

芭蕉はこのとき、「岩にしみ入蟬の声」をきっかけにして急に開けた「閑さ」に驚いたのである。一つの音によって別の音の不在に気がつく。芭蕉は岩山の上で「岩にしみ入蟬の声」を聞いて天地に広がる「閑さ」に気がついた。その驚きこそがこの句の「閑さ」だった。（長谷川櫂『古池に蛙は飛びこんだか』中公文庫、97頁）

と〈読む〉。いわば、俳聖芭蕉が五／七五のなかに〈詠み〉こんだ、岩山のうえで異次元と〈出会った〉ことの驚きという仕掛け花火に、三百年後の〈読み〉＝〈出会い〉が点火し、そこから飛び散る火花が肌に触れた際に生じる驚きが、その〈読み〉を〈読む〉わたしに「思考せよ」と強制したのだ。こういった〈読む〉＝〈出会う〉ことの連鎖を、先ほどのフランスの思想家ならば「電源に接続するような読み方」（『記号と事件』）とでも表現することだろう。

回避する〈読み〉と発見する〈読み〉

ところで、「驚き（タウマゼイン）は哲学のはじまり」とは、よく言われる決まり文句であるが（プラトン『テアイテトス』およびアリストテレス『形而上学』を参照）、ここでは、西洋近代哲学――「思考する」〈わたし〉からはじめる哲学――の祖ともいえるデカルトの『情念論』（1649）から、「驚き」にかんする一節を紹介したい。

> なんらかの対象と初めて出会うことで、わたしたちが不意を打たれ、それを新しいと判断するとき、つまり、それ以前に知っていたものや、あるべく想定していたものとははなはだ異なると判断するとき、わたしたちはその対象に驚き、激しく揺り動かされる。それは、対象がわたしたちに適したものかそうでないかまったくわからないうちに起こるので、驚きはあらゆる情念のうちで最初のものと思われる。しかも、驚きには反対の情念がない。現れる対象のなかにわたしたちの意表を突くものが何もなければ、わたしたちはまったく動かされず、情念なしにそれを見つめるからだ。（デカルト『情念論』谷川多佳子訳、岩波文庫、53頁）

この一節を〈読む〉ことから始めて、西洋哲学全体を女性形によって書き直そうと試みたりユス・イリガライは驚きのうちに「性的差異の倫理《エチカ》」が創造される契機を見いだしたわけだが、性的差異に限らずあらゆる差異との〈出会い〉は驚きであり、その経験において〈わたし〉は「激しく揺り動かされる」ことによって「異なる思考」へと強制される――これが、〈出会い〉としての〈読む〉ことの真骨頂であると言えるだろう。バーバラ・ジョンソンは、これを「他者性の驚き＝不意打ち」と名づけ――「他者性の驚きが生まれ、他者性に不意打ちされるのは、無知が新しい形式をまとって、いきなり活性化し、ある種の命令となってたちはだかる瞬間である」――さらに一歩踏み込んで、「読者に課せられた不可能だが不可欠な務めとは、驚き＝不意打ちに自分自身を開くことである」と喝破している（『差異の世界』）。

　しかしながら、「激しく揺り動かされる」ことは〈わたし〉のアイデンティティにとって危機的《クリティカル》な事態でもある。だからこそデカルト自身も、「驚き」がわたしたちを「知識の獲得」に向かわせるという利点を認めつつ、「後には、できる限りこの傾向から逃れるよう努めなければならない」と警告したのだった。こういった危機に向き合うことを好まず、むしろあらかじめそれを回避するために、〈読む〉＝〈出会う〉経験にあたかも「驚き」がそもそもなかったかのようにふるまう（「そんなこと、はじめからわたしにはわかっていた」）といった、また別種の〈読み〉のスタイルが発動されることがしばしばある。これは〈出会い〉の驚きにたいする自己防衛のメカニズムであるが、それはまさに、エドワード・W・サイードが批判的《クリティカル》に取り組んだ「オリエンタリズム」をよく説明するものである。その画期的な大著『オリエンタリズム』（1978）の「危機」と題された節の冒頭、サイードは「テクスチュアルな姿勢」という耳慣れない表現をもちだし、「人間的なものと直接に遭遇（direct encounters）して方向を見失うよりも、むしろ書物《テクスト》の図式的な権威によりかかろうとするのは、人間に通有の欠点であるように見うけられる」との見解を呈示する。〈出会い〉による動揺・方向喪失を回避するために、旅行記やガイドブックといった書物《テクスト》にあらかじめ用意された〈読み〉に飛びつく傾向は、誰にでもたしかにあることだろう。この「人間に通有の欠点」が西洋帝国主義の文脈で集合的な言説《ディスクール》としてどのような力をふるってきたのかを詳細かつ広範に分析したのが『オリエンタリズム』という書物なのである。西洋が東洋《オリエント》との〈出会い〉を経験し、その差異＝他者性をまっさらな眼で〈読む〉ことに努めてきた、その努力の集積が「オリエンタリズム」と総称される一連の（文学・絵画などの）作品群である——といった通念をサイードは真っ向から批判し、「オリエンタリズムとは、西洋が東洋《オリエント》の上に投げかけた一種の投影図であり、東洋《オリエント》を支配しようとする西洋の意志表明」以外のなにものでもなく、「オリエンタリズムはオリエントを踏みにじったのである」と告発する。ここで注意しなければならないのは、帝国／植民地体制という圧倒的に不均衡な権力関係において〈出会い〉を回避するために〈読む〉という行為は、たんなる自己防衛と呼んで済むものではなく、むしろ（ピーター・ヒュームの名著のタイトルを借りるならば）「征服の修辞学」（原題は*Colonial Encounters*）とでも呼ばれるべきものである、ということだ。原住民と〈出会う〉ことが帝国による一方的な征服・支配の正当性をゆるがしかねないとき、その〈出会い〉をあらかじめ回避するようにして相手を都合よく〈読む〉ことは、すなわち、「征服・支配のために〈読む〉」という帝国主義的実践にほかならない。そして、こういった暴力的〈読み〉の実践は、けっして帝国主義の時代に限られる過去の悪習といったものではなく、「正しい読み方」を強制する入試問題や「〇〇イズム批判」が得意とする「非難のレトリック」といったかたちで、実はわたしたちのまわりでそれこそ「支配的」な存在感をいまだにもっているのである。「非難のレトリック」に陥ることなく「征服・支配のための〈読み〉」を〈批判（critique）〉する方法としてサイードが『文化と帝国主義』（1993）において案出・実践した、またひとつの〈読み〉のスタイルが「**対位法的読解**」である。これは音楽における対位法から着想を得たものだが、その前提には、テクストは（それがテクストである以上）かならず多声《ポリフォニー》的であるという（ミハイル・バフチン）という認識がある。多声的であるということは、「作者の意図」や「〇〇イズムの反映」といった〈単一の意味〉に収斂するような単声的読解を退けるということである一方で、それぞれの声がてんでばらばら「なんでもあり」とはならずにゆるやかな関係性を保っているということも意味している。ここで、美しい図柄の描かれた織物を思い浮かべてみよう。きっとわたしたちは、その美しい図柄を眺めながら、そこに「意味」や「価値」を〈読む〉ことに熱中するにちがいない。しかし、誰かがふと、少々不躾なほどに目を近づけてみたとすると、それまでは図柄の輪郭をなす一本の線《ライン》と見えていたものが、実はさまざまな色や太さの縦糸・横糸が絡まり合い重なり合って織り上げられていることに、はたと気づくこともあるかもしれない——書物《テクスト》と織物《テクスタイル》とは、ともにラテン語の texere〈織る〉という動詞を根にしていることを、ここで思い出してみるのもいいだろう（ティム・インゴルド『ラインズ　線の文化史』というたいへんおもしろい本があるので、ぜひご一読を）。「対位法的読解」とは、（征服・支配のための意味づけ・価値づけによって）見えなくされていた、あちらの糸とこちらの糸との意外な関係性を発見＝発明《インヴェント》し、ひいては支配的言説を〈批判〉することへとつなげていく実践のことである。サイードの場合、イギリス小説を〈読む〉ことによって「絡まり合い重なり合う歴史」を解きほぐすことが目指されたわけだが、具体的には、たとえばジェイン・オースティンの『マンスフィールド・パーク』（1814）といういかにも「イギリス的」な田舎の荘園を舞台にした、恵まれない家庭出身の女児がもちまえの堅実さと道徳心でさまざまな困難を乗り越え最終的には幸せをつかみとる物語としてながらく愛されてきた小説を、「対位法的」に〈読む〉という実践例がある（「ジェイン・オースティンと帝国」）。この小説には、一見作品全体の「意味」には影響をあたえないような細部における西インド諸島アンティグアの植民地プランテーションへの言及があるのだが、サイードはそのわずかな糸口から作品の裏地をなす太い糸を手繰りよせ、この「イギリス的な、あまりにイギリス的な」小説／世界が実は植民地における奴隷労働によって維持される収奪システムの上に成り立っていること、そして、それがこの作品に必要不可欠な要素として織り込まれているさまを解き明かしたのだった。こういった〈読み〉の斬新さは、それまで見えていなかった〈問い〉の立て方――「ブルジョワ社会の文化的産物としての小説と、帝国主義そのものは、おたがいに相手なくしては考えることができ」ず、「どちらかいっぽうを読みとくには、かならずなんらかのかたちでもういっぽうも扱わないと先に進めない」という認識に至る「教育されたまなざし」を醸成するような〈問い〉の立て方――を見えるようにした点に求められよう。いわば、いままで見えていなかった作品の糸筋に〈出会う〉＝驚くことを教育する〈読み〉、ということになるだろうか。

強い〈読み〉と弱い〈読み〉

「教育されたまなざし（un regard instruit）」とは、フランスのマルクス主義哲学者ルイ・アルチュセールが共同研究の成果である『資本論を読む』（1965）において用いた表現である。『資本論を読む』は、マルクス哲学研究における記念碑的業績であると同時に、読むとはどういうことかという問いを徹底的に考えぬいた〈読む〉ことの理論書でもある。古典経済学（たとえばアダム・スミス）を〈読む〉マルクスを〈読む〉という入れ子構造によって本書が提起したのは、テクストにはそれがよって立つところの〈問いの構造〉《プロブレマティーク》によって構造的に禁止・抑圧された「見そこない」が存在するが、「教育された眼差し」をもつ読者がそのテクストを〈読む〉ことによって、現存の〈問いの構造〉の場では「空白、不在、欠如あるいは理論的徴候の形で身を隠す」状態にあった潜在的な〈問いの構造〉が見えるようになる、という見立てだった。先ほどのサイードによる『マンスフィールド・パーク』論でいうならば、決定的に重要な先達であるレイモンド・ウィリアムズの〈読み〉を「一般論においてまったく正しい」として引き受けつつも、そこでは「理論的徴候」の次元に留まっていた〈問いの構造〉（＝「帝国」の問題系）を新たな〈読み〉によって見えるようにした、ということになるだろう。

アルチュセールとその共同研究者たちがこの〈読み〉につけた呼び名は、「徴候的読解」というものだった。共同研究グループのなかでもとくに文学理論の分野で活躍したピエール・マシュレは、文学作品を読む際の心得として、「それが何を語っているのか」ではなく「何を語らないのか」さらには「何を語り得ないのか」が重要であり、作品を〈読む〉とは畢竟「沈黙を測る」ことにほかならない、と主張した（『文学生産の理論（のために）』）。この考え方を、北米およびその影響下にある諸地域に顕著にみられる専門職業化《プロフェッショナリゼーション》した文学研究の場において宣布・浸透させるのに決定的な役割をはたしたのが、アメリカのマルクス主義批評家フレドリック・ジェイムソンの『政治的無意識』（1981）である。「社会的象徴行為としての物語」という副題をもつ本書は、理論的立場の闡明と個別読解の実践とを組み合わせる〈批評〉の型を大仕掛けで打ち出した文字通りの大作と言えるだろう。第1章には「解釈について」という古式ゆかしい表題がつけられているが、そこにおいて「解釈」＝「強力な書き換え」と等号で結ばれたことの意義は、きわめて重大であったと思われる。

強力な書き換え、つまり解釈が、いつも前提としているのは無意識という概念であり、もしそうでなければ少なくとも神秘化もしくは抑圧のメカニズムである。そのような概念、そのようなメカニズムを前提とすれば、顕在的な意味の背後に潜在的な意味を探りあてる試みは決してむだではなくなり、テクストの表層的カテゴリーを、もっと根源的な解釈コードにのっとった強力な言語で書き換えてもかまわないことになる。（F・ジェイムソン『政治的無意識』大橋洋一訳、平凡社ライブラリー、100頁）

定義からして潜在性の次元に留まる「政治的無意識」は、かならず歪曲した再現＝表象というかたちで、すなわちイデオロギーとして、わたしたちをすっぽり包み込んでいる（「イデオロギーに外部はない」）。この認識は、「顕在的な意味」を〈読む〉ことを、その「背後」にある「潜在的な意味」で〈書き換える〉ことに転換するような実践を要請する（イデオロギー批評）。この強力な〈読み〉のスタイルがその後の文学・文化研究において（「支配的」とまでは言わずとも）規範的な地位を占めるに至ったことに、あまり異論の余地はないだろう。

　しかしながら、ここで「背後」「意味」といった表現が使われたのが、誤解・曲解の種となったことは否めない。『政治的無意識』をしっかりと読めば、アルチュセールがスピノザ＝マルクスから導き出した「不在の原因」（「構造論的因果律」）という概念は、「背後」に隠された「意味」（＝「秘密」）がありそれが（批評家の英雄的な〈読み〉によって）表現される（「表現型因果律」）という構図とはまったく相容れないもので、むしろそういった「表現型」の思考を批判するのが「構造論的」視座であることがわかるはずなのだが、現実には、たとえば「この小説は新自由主義の徴候にほかならない」といった「公然の秘密《オープン・シークレット》」を暴露《アウティング》するためだけに文学作品を〈読む〉というスタイルの職業実践（＝論文量産）が横行することとなった。

こういった表層＝幻想／深層＝真相という構図にもとづく強力な〈読み〉というものはどこか陰謀論めいてくるところがあり、そのぶん感染力も強いわけだが、実際ブリュノ・ラトゥールのように科学的実証主義を力強く批判してきた思想家ですら次第にこの点を憂慮するようになり、「事実《ファクト》から乖離するのではなく、むしろより接近しなければならない」と唱道するに至っているほどである。このような潮流を背景にして、2010年前後より、「徴候的読解」（の濫用）にたいする反動として**「表層的読解」**に代表されるさまざまなポスト・クリティーク的〈読み〉のスタイルが提唱されるようになってきたことは、理解に難くない。「深層」にあるとされる解釈コードによる〈書き換え〉といった強力な＝「理論的」な〈読み〉に食傷気味の読者のあいだで、「表層」の記述にあえて留まるようなフラットな〈読み〉を再評価する機運が高まるのは無理からぬことであるし、デジタル技術の発達や情報流通の加速化による「記述」技法の多角化がその動向を後押ししている部分もあると言える。むろん、こういった動向をグローバル資本が推進する新自由主義の「徴候」とみなすことも可能だろうが――実際、〈批判〉を抜きにしてグローバルな流通・消費を言祝ぐ「世界文学」が商業的成功を収めている姿をみると、そのように〈読み〉たくなるものだ――他方で、たとえばフランコ・モレッティが文学作品の集積《コーパス》を「ビッグ・データ」として扱い統計処理を駆使して導き出すような「遠読」の成果が、ハッとさせるような驚きの経験を（ときとして）味わわせてくれることも事実だ。「表層的読解」が「徴候的読解」を批判的に乗り越え〈読む〉ことの新たな段階《ステージ》を切り拓いたとはとうてい思えないが、ポール・リクールが輪郭をあたえた「懐疑の解釈学」が硬直化し単声的な〈読み〉が横行している状況においては、〈読む〉＝〈出会う〉ことの驚きという初心に立ち返らせてくれる意味は、少なからずあろうかとも思われる。

「徴候的読解」のような強い〈読み〉と「表層的読解」のような弱い〈読み〉との関係を、一方が他方を乗り越えるといった段階《ステージ》的なものではなく、行ったり来たりしながら緊張をはらんだ関係性をそのつど変容させていくポジションとして捉えることの重要性を強調したのは、イギリスの精神分析家メラニー・クラインの児童分析から多くを吸収したイヴ・K・セジウィックだった。デューク大学でジェイムソンの同僚でもあったクィア理論家のセジウィックは、まさに「徴候的読解」の名手で、『男同士の絆』（1985）では英文学正典《キャノン》のみごとな〈読み〉を通じて「ホモソーシャルな欲望」というそれまで見えてこなかった〈問いの構造〉を浮かび上がらせることに成功し、次著『クローゼットの認識論』（1990）の白眉といえるヘンリー・ジェイムズ論（「クローゼットの野獣」）では、テクスト上の微細な「徴候」をめぐる名人芸的な〈読み〉によって、主人公が抱える「秘密」が同性愛にかかわるものであることを説得的に解明しながら、その「秘密」の暴露で事足れりとせずさらに一歩踏み込んで、そうやって潜在的な「意味」をひとつだけ特定する〈読み〉がよって立つ基盤――秘密／発覚、知／無知、といった二項対立を裏打ちする〈問いの構造〉――そのものを「徴候的読解」の再審にかけるという離れ業をやってのけた。そのセジウィックが、1997年に発表した「妄想的読解と修復的読解――あなたの妄想癖《パラノイア》はひどすぎるので、きっとこのエッセイには自分のことが書かれていると思いこむことでしょう」という軽妙なタイトルの刺激的なエッセイ（もとは編著の序文）において、メラニー・クラインの「妄想分裂ポジション」「抑うつポジション」「償い（修復）」といった概念を援用しながら、「徴候的読解」を「**妄想的読解**」と呼んで批判的に検証したのだった。（晩年の）セジウィックには、そもそも数多ある〈読み〉の可能性のひとつであったはずの「懐疑の解釈学」が、いつのまにか「強制命令」となってしまったことへの危機感があったのだ。その「妄想的」な性格の分析についてはぜひエッセイ本文にあたって欲しいのだが、その筆頭に挙げられているのが「驚きへの嫌悪」であることは、とても示唆的だと思われる。反対に、「修復的（「償い」の）ポジション」をとることができれば、驚きの経験は現実的であり必然＝必要ですらあると感じられるようになると言う。セジウィックは、自らがその名人《マスター》であるところの強い〈読み〉がその強さゆえに見向きもせず通り過ぎてしまいがちな驚きの経験――それは「激しく揺り動かされる」経験であり、異次元への〈開かれ〉の契機ともなりうるものだ――を取り戻すために、かえって弱い〈読み〉から学び直すことを、わたしたちに促しているように感じられる。それは、「神の意志」の名の下に聖地奪還を目指して一直線に馬を走らす十字軍の騎士ではなく、聖地《サント・テール》に向かうと言いながらあちらこちらで道草を喰ってぶらぶら《ソーンター》している巡礼者が、けつまずいた路傍の石をふと拾い上げてはその表情を読み取ろうとする――ひょっとすると、神がウインクをしてよこすかもしれない――そんな態度のことだと言ったら、少々ナイーヴに過ぎるだろうか。肝要なのは、これら異なる〈読み〉のポジションのあいだにある関係が排他的なものであってはならず、セジウィック自身の表現によれば「組み合わせた両手の指のように絡まり合う（interdigitate）」ものであるということだ。「〈理論〉の終焉」とか「〈文学〉の復権」とか、威勢のいいスローガンはどうしても排他的・敵対的な歴史観につながりがちであるが、むしろ、そういった段階《ステージ》的な発想が取りこぼしてしまうような関係性――さまざまなポジションが絡まり合い重なり合う、緊張と弛緩とがないまぜとなったダイナミックな関係性――が記述されうるような「オルタナティヴなモデル」の落穂を拾いあげ、その目録を作成することこそが「文学批評史」の名に値するものであろう――セジウィックは、希望をこめて、そう書き遺している。

文学を研究する、つまり文学作品を「専門家」として〈読む〉ということは、つまるところ、妄想的な〈知〉の追究としての〈読み〉とナイーヴな〈出会い〉の経験としての〈読み〉とのあいだを行ったり来たりすること、ひとつの〈読み〉に安住せず（あたかも亡命者《エグザイル》のように）動き続け「驚かされることの歓び」（サイード『知識人とは何か』）につねに〈開かれ〉てあること――これに尽きるのかもしれない。本章は、西郷信綱「古事記を読む」の一節を〈読む〉ことにまずその糸口を見いだし、そこから「読むこと」をめぐるさまざまな思考＝理論の糸筋をたどってきたわけだが、最後にその一節の続きの部分を引用して、結びとしたい。

専門家が或る作品を研究する時も、事情は同じである。というより、出会いであるところのものをもっぱら知識や観察の問題であるかのように思いなす点に、専門家の陥りがちなワナがあり、学問の硬直化が起ってくるのも、このことに端を発すると見ていい。研究とはむしろ間断なき出会いのことではなかろうか。初恋でも語るように想い出話としてこの出会いの件は持ち出されることが多いが、しかし真に大事なのは、いま何といかに出会っているかという自覚であると思う。(西郷信綱『古典の影』平凡社ライブラリー、129-130頁)

▼用語解説

懐疑の解釈学

　1960年代に解釈学へと大きく舵を切ったフランスの哲学者ポール・リクールは、1965年に『フロイトを読む』（原題は「解釈について――フロイト試論」）を上梓する。その第1篇第2章「解釈の葛藤」においてリクールは、解釈学のスタイルを「根本的に対立する」二つに分類する。一方には「意味の想起〔回復〕」としての解釈」があり、これは宣教の使信《ケリュグマ》に代表されるもので、人間に対して語られた言語（啓示）への合理的な〈信〉にかかわる。対する「懐疑の実践としての解釈」は、リクールが「懐疑の巨匠」と呼ぶマルクス・ニーチェ・フロイトに共通するもので、「まず意識を全体として『虚偽』意識とみなそうとする決意」に発し、意識についての懐疑を意味の解釈（脱神秘化）によって克服しようとするもので、3人の「巨匠」それぞれが「社会的存在」「権力への意志」「無意識」概念の発見＝発明を通じて実践したとされる。

　この対立図式はあくまで分類上の両極化であり――それをジェイムソンは「肯定的／否定的解釈学」として引き受けた――リクール自身はむしろ前者の〈信〉の問題をめぐってさらに思索を深めていったのだが、北米に渡ると後者のみが「懐疑の解釈学（hermeneutics of suspicion）」として独立した地位をあたえられ〈批判《クリティーク》〉の代名詞となる。それが、後述する昨今の「ポストークリティーク」的な空気のなかで、あたかも諸悪の元凶であるかのように焦点化されるようになったことは、テクストを「批判的」に〈読む〉という実践をめぐる半世紀間の思想史的展開

〈または、局所化・矮小化〉を考えるうえでも興味深い。

対位法的読解

「対位法的読解（contrapuntal reading）」とは、自身玄人はだしのピアニストでもあったエドワード・W・サイードが、グレン・グールドの演奏《パフォーマンス》から着想を得て発展させた、テクストを〈読む〉ことをめぐる最重要概念である。多声音楽において同時的に旋律を奏でる多種多様な声部がそれぞれ独立しつつ相互依存し、どれかひとつが他を代表＝表象《リプレゼント》することなくゆるやかな連環のうちに全体的効果を発揮するように、ひとつのテクストを読解する際にも、あらゆる論点《ポイント》がつねにすでに対抗的《カウンターポイント》な諸論点に巻きこまれていることを認識し、ひとつの意味に収斂させるような「単声的」読解を排すると同時に「和声的」な予定調和に落ち着くことも拒みながら（パフォーマティヴな）全体性を〈読む〉ことを要請する。その実践の具体例を知るにはサイード自身の著書『文化と帝国主義』を味読するに越したことはないが、たとえば、一見するとたんなる家族小説や少年向けの冒険活劇であって「政治」とは無縁に思える人気小説のうちに、同時代における植民地収奪システムや帝国主義的競合関係が織りこまれているさまを〈読む〉といった作業《パフォーマンス》が想定される。これは、のちに「ポストコロニアル批評」と呼ばれる（文学批評にとどまらない）豊穣な学問分野《フィールド》を切り拓くこととなる画期的な〈読み〉の方法論だが、その安易な応用の多くが陥りがちなように、あらゆるテクストから「帝国主義的イデオロギー」という〈ひとつの意味〉を抽出して非難することで事足れりとする「単声的」な態度は、「対位法的読解」の主旨に著しく反するものである。

徴候的読解

「徴候的読解（la lecture symptomale）」とは、フランスのマルクス主義哲学者ルイ・アルチュセールが『資本論を読む』序文において表明したもので、スピノザ＝マルクスが提起した〈読む〉ことの理論を基盤にして、フロイト＝ラカンの流れをくむ精神分析が精緻化した「徴候（症状）」概念を援用して発展させた、テクストを〈読む〉ための方法論である。あまりにしばしば誤解されているような（俗流心理学的な）「行間を読む」とか（陰謀論めいた）「隠された意味を暴く」といった、たんなる深読みを指しているわけではないことに、とくに注意が必要である。

フロイトが神経精神病の臨床の場——患者の言動を〈読む〉実践の場——で確認したのは、患者がその記憶を自分の意のままにできないということ、すなわち、ある種の記憶が「抑圧」されているということだった。しかし、抑圧され無意識の領域へとおいやられた諸要素はけっして消滅させられることなくたえず意識へと戻ってこようとする。これが「抑圧されたものの回帰」と呼ばれる過程だが、その「回帰」は一見それとはわからない歪曲された再現のかたちをとることになる。すると直接見えるのは「抑圧された表象と抑圧する表象のあいだの妥協」の産物ということになるが、分析家がその「無意識の派生物」（＝見えるもの）を〈読む〉ことを通して「抑圧」された諸要素（＝見えないもの）が見えるようになる。「徴候的読解」とは、いわば、精神分析がその臨床実践を通して見いだした「見えないもの」を〈読む〉技法を、テクスト一般に適用したものだと言えるだろう。そこで問題となるのは、「隠された意味」を暴露することではなく、〈読む〉主体が新しい地盤（〈問いの構造〉）のなかで新しい位置を占めること（「認識論的切断」）、すなわち、〈読む〉実践を通じて主体自身が変容することなのである。

表層的読解

「表層的読解（surface reading）」とは、スティーヴン・ベストとシャロン・マーカスが批評誌 *Representations* 2009年秋号の特集"The Way We Read Now"の編者序文で提唱したもので、同序文のタイトルでもある。〈読む〉ことをめぐる新たな方法論を呈示したのでも、なんらかの技法を実演したのでもなく、むしろ文学批評・文学研究の場において昨今醸成されてきたある種の空気をうまく言い当てたものと言えそうである――その意味では、定冠詞付きではなく複数形で「表層的読解」が語られるべきだろう。その空気とは、ひとことで言えば過去三四十年にわたる〈理論＝批判〉の専制にたいする違和感――「ポスト・クリティーク的転回」と呼ばれることもある――であり、その専制の象徴とされるのが「徴候的読解」ということになる。ベストとマーカスによれば、（本家のアルチュセールではなく）ジェイムソンに代表される「徴候的読解」とは、あらゆるテクストの「深層」に政治的「意味」を〈読む〉という点で文学批評を政治的アクティヴィズムの代用品とするものであり、抵抗するテクストと格闘し「意味」を奪い取る「英雄的《ヒロイック》」な営為としての文学批評というイメージを定着させたために専門家の受けが良かった、とされる。「徴候的読解」への反動であることを隠さない「表層的読解」は、「深層」にたいして「表層」を、「不在」にたいして「現前」を称揚し、テクストの表層に現れている文字通りの意味・物質性・情動性などに注意深くある態度に重きをおくという点で、〈理論〉に食傷気味の文学研究者のあいだで広く共感を集めており、ある意味で「分析」から「ケア」への関心という時代潮流に乗っているとも言える。とはいえ、それがあくまで表層／深層という二項対立にもとづく発想で、その意味では「徴候的読解」に依存した概念であり、そもそもその対手が表層的に図式化されたものでしかないということは、指摘しておく必要があるだろう。

妄想的読解と修復的読解

「妄想的読解（paranoid reading）」と「修復的読解（reparative reading）」とは、イヴ・K・セジウィックが、メラニー・クラインの児童精神分析から「妄想分裂ポジション」「抑うつポジション」「償い（修復）」といった概念を援用し、（80・90年代の北米における）文学研究・批評のあり方をめぐる考察に用いた表現で、〈読み〉の具体的な技法というよりはある種の傾向性を指し示すための用語であると言える。自身が得意とした「徴候的読解」に代表されるような「懐疑の解釈学」が北米の文学批評界で支配的になり「強制命令」の様相をすら呈するようになったことに警鐘をならし、その「妄想的」性格を批判的に検証したのが1997年発表の同名論文である（もとはクィア批評論集に付した編者序文で、のちにE. K. Sedgwick, *Touching Feeling* [Duke UP, 2003] に所収)。攻撃的な部分対象による迫害不安から、失われた愛情対象の良さの認識・思慕・悲嘆・罪悪感の自覚にかかわる抑うつ不安に移行することにより象徴的な「償い(修復)」が試みられるようになるというクラインの図式になぞらえて、「妄想的」〈読み〉が排除しがちな小さな情動《アフェクト》や偶発的な些事を寄せ集めて《アセンブル》「修復」するような〈読み〉の復権をセジウィックは呼びかける。本論文が２００３年の単著に再収録されると、それがポスト９・11のパラノイア的感性の蔓延という世情への(前もっての)批判として改めて注目を浴びることとなる。２０１０年前後に出てきた「表層的読解」などの唱道者の多くがこの「修復的読解」を先駆者として召喚することには十分理があると言えるが、本文でも触れたように、セジウィックはそれらの「ポジション」が固定的・排他的なものではなく流動的・交互嵌合的であると強調していたことも、あらためて銘記しておきたい。

〔追記〕その後、セジウィックの当該論文は、岸まどか訳で日本の読者に届けられることとなった(『エクリヲ』12(２０２０年5月)152-194頁)。

もっと〈読む〉ことについて知るための10冊

西郷信綱『古典の影　学問の危機について』平凡社ライブラリー、１９９５年。

前田愛『近代読者の成立』岩波同時代ライブラリー、１９９３年。

ポール・リクール『フロイトを読む　解釈学試論』久米博訳、新曜社、１９８２年。

ルイ・アルチュセールほか『資本論を読む』今村仁司訳、ちくま学芸文庫、１９９６年。

ポール・ド・マン『読むことのアレゴリー』土田知則訳、岩波書店、２０１２年。

バーバラ・ジョンソン『差異の世界　脱構築・ディスクール・女性』大橋洋一ほか訳、紀伊国屋書店、1990年。
エドワード・W・サイード『文化と帝国主義1・2』大橋洋一訳、みすず書房、1998・2001年。
フレドリック・ジェイムソン『政治的無意識　社会的象徴行為としての物語』大橋洋一ほか訳、平凡社ライブラリー、2010年。
イヴ・K・セジウィック『クローゼットの認識論　セクシュアリティの二〇世紀　新装版』外岡尚美訳、青土社、2018年。
イヴァン・イリイチ『テクストのぶどう畑で』岡部佳世訳、法政大学出版局、1995年。

第3章

言葉

執筆―渡邊英理

言語の脱領土化

文学の言葉を読むことは、移動をせずに別の時間と空間を生きること、その場を離れずに動くことだ。「その場での旅」（ジル・ドゥルーズ）を最も手軽にもたらすもののひとつが、読書だろう。文学における「その場での旅」は、複数の言語の領土を行き来する。たとえば、翻訳文学や翻訳という行為、各国語文学と「世界文学」、あるいは地域語と国語、方言と標準語、さらには古典文学と現代語訳など、わたしたちのまわりの文学は、言語間翻訳や言語内翻訳を重層的にふくみこんでいる。

一般的に、翻訳とは原作の言語を解することがない読者に向けられた補助手段として考えられている。しかしながら、ヴァルター・ベンヤミンが「翻訳者の課題」（１９２３）で唱えた翻訳は、読者の言語で原作の言葉を理解可能な内容に解消する意訳ではなく、「言語を言語によって反省する」行為だ（森田團「純粋言語への志向　ベンヤミン「翻訳者の課題」における言語の概念」九州大学哲学会、2015年）。つまり、言葉自らが自らを「自己再帰的」に問うために、異なる言葉と言葉を響き合わせるという意味での「照応」が、ベンヤミンにおける翻訳であった。

ベンヤミンは、言葉を情報伝達の手段とする道具的な言語観に抗し、同時に日本語、ドイツ語、フランス語など分立した体系の内部で自閉する「各国語」や、民族や国民など「われわれ」「仲間内」の間だけで通用する「母語」の限界を突破しようとする。そのため、ベンヤミンは意味の理解を遮り、原作の「言葉遣い」ひとつひとつを刻み込む「字句通り」の翻訳を目指し、その忠実性で翻訳の言語に破壊をもたらすことも辞さない。読者の言語で原作の言葉の息を詰まらせるのではなく、翻訳によって「自身の言語の朽ちた柵を打ち破る」。言わば、それぞれの体系性のうちに閉塞し、記号の弁別機能に硬直化する言葉の内部に、他の言語と響きあう回路を切り開く。ベンヤミンは、他の言語を谺させ、「それに呼応するもう一つの言語を形成し直す可能性」に賭けたのだ（柿木伸之『ヴァルター・ベンヤミン　闇を歩く批評』岩波新書、2019年）。

「言語の朽ちた柵を打ち破る」。その企ては、ドゥルーズとフェリックス・ガタリにおいて、「言語の脱領土化」として追求される。ドゥルーズとガタリは、「言語の脱領土化」を文学のなかに求め、それを行う文学を**マイナー文学**と呼んだ。

フランツ・カフカを詳細に論じることを通じてドゥルーズ・ガタリが提唱したマイナー文学は、「マイナーな主題」を扱う文学でも、「マイナーな言語」による文学でもなく、「むしろメジャー言語のなかにマイノリティが生み出す文学」だ（『カフカ　マイナー文学のために』1975）。

「言語の脱領土化」とは、「ある言語の内において、その言語の外に出る」ことだが、それは、その言語の使用それ自体をやめたり、外国語など別の言語を話したりすることではない。むしろ、ある言語の使用のなかで、その言語が異質なものに変化してゆくよう働きかけ、その言語から漏れ出すような使用を発明することだ。言わば、自分の言語のなかで「どもる」、あるいは「外国人＝異邦人のようである」こと。プラハ生まれのユダヤ人であるカフカが、チェコ語やイデッシュ語ではなくドイツ語を用いて小説を書くなかで、そうしたように、メジャーな言語のマイナーな使用を創出すること、メジャーな言語を用いながらそれを歪め、国家・民族といった固定化した領土からひきはがし、「世界のなかへ非領域化」させること。肝要なのは、支配的・規範的な役割にある「メジャーな言語」の支配や束縛から逃れ、いかに言語をずらすかということだ。

崎山多美の「沖縄文学」は、この「言語の脱領土化」に果敢に挑戦している文学のひとつと言えるだろう。もとは独立した政治文化圏であった沖縄は、近世には薩摩藩島津に、近代以降は日本に組み込まれた歴史を持つ。この沖縄に固有な植民地主義的な文脈のなかで、崎山の文学は、「言語の脱領土化」をおしすすめる。たとえば、それは次のように書かれる。

でも、ま、こうしてあんたはママに会いに来たから、ママはデージ喜んでいるはず。

（中略）

ん、なに？　八十八にもなってるわりにはママの顔にはあまり皺がないからって。ああ、あんたそれはよ、自然の原理ってものせいサ。意味が分らん？　ふーんあんた分らんの。じゃ教えてあげるサこのウチが。ママの顔になんで皺が少ないかってゆーわけを。ほら、ママは、ずーっとこうして仰向けに寝てるでしょ。だからこの形のまんま地球の中心に引っ張られていってるわけでしょ。いんりょくってゆーので。ママを作っていた細胞とか神経とかなにもかもが地球の中心に向かって引かれているわけ。つまりや、ヒトが生きている間の心配《シワ》のだんだんも苦労の皺もなにも、まあるくふかーい地球の心がぜーんぶ吸い取ってくれる、ってことサ。（「見えないマチからションカネーが」『クジャ幻視行』花書院2017年、136頁－137頁）

「基地の街」コザを舞台とした短篇連作集『クジャ幻視行』の一編「見えないマチからションカネーが」の一節だ。この小説は、最後にあっと驚く「事実」が発覚するのだが――その詳細は、ぜひテクスト全体を読んでほしい――物語の基本構造は、母をめぐる娘ふたりによる喪の作業にある。「ママが死んだサ。昨日の夜遅くに。だから来て。今しぐんにど」。小説の冒頭は、この沖縄に住む娘の電話の声で始まる。「ママ」の死を知り、東京の娘は沖縄へと駆けつける。男性による支配的な母恋いの物語《ロマンス》を、小説はジェンダーを転じ変調させる。

くわえて、この母娘は血縁でつながる親子ではない。米兵たちでにぎわう歓楽街の「民謡する店」「ションカネー」の「ママ」とその店の従業員の「イナグ」（女）たちだ。「器量《カーギ》がカセギを生む」「マチ」、沖縄の「基地の街」で働く女性たちはセックスワークと隣りあい、社会的に周縁化され、抑圧を被り、自らを語る声を損なわれがちな女たち（サバルタン女性）である。一方の女は、沖縄の「日本復帰」のころに「ヤマトゥー」（本土人）の「イキガ」（男）と結婚し「ヤマト」（本土）に渡る。もう一方の女は、「夫無《ブトゥネ》ーンイナグ」（未婚）のまま沖縄にとどまりつづける。小説の現在時は「復帰」から「三十三年」経った２００５年。その間、一度も会うことがなかったふたりが再会し「ママ」を囲む。右に見られるように、小説は、ふたりの対話のうちで沖縄在住の娘の言葉のみを文字化する。

この小説で、「沖縄語」は、国語や標準語を活性化するためのスパイスとしての「方言」ではない。「沖縄語」は、通常、「方言」が用いられる会話文のなかだけでなく地の文にも忍び込み、メジャーな言語を変形させる。その「接ぎ木された言語」は、内部から日本語に顕著な影響を与えるものなので、それを日本語に翻訳するためには、日本語を廃さなければならないほどだ。崎山は、こうした言語のマイナーな使用法を発明し、言語を脱領土化する。

自身が創出したこの**多声的**《ポリフォニック》な言葉を、崎山は「シマコトバでカチャーシャー」と呼んでいる。「シマコトバでカチャーシャー」は、「標準日本語」とも沖縄本島の言葉（方言混じりの「標準語」）とも異なる未発の「コトバ」を探し求めるプロセスとしての文体だ。カチャーシャーとは「かき回す」を意味する沖縄の言葉だが、それは、言語や文化を混交させるとともに、沖縄の島々を本土化させる力や、統一的なアイデンティティで「沖縄」を主体化しようとする力をも抱きとりながら、かき回し、変形し、複数化していく渦のような力である。

崎山の小説は、他なる者たちともに生きるという実践を言語の位相で表現している。言語は、ひとりでいる時でさえ、対話的で集団的である。ミハイル・バフチンは、ドストエフスキーの小説を分析することを通じて、作者の思考を作中人物との内的対話として捉え、独言の内なる対話性を浮上させた。ひとりで語っている時でさえ聞き手が先立ち、語りの言葉は、潜在的な聞き手に対する応答である。対話の片割れのみが記される「見えないマチ」は、語ることが聞くことである相互乗り入れ的な言語活動の異種混交性を浮き彫りにする。同じ連作中の「孤島夢ドゥチュイムニ」では、作中劇で独り言《ドゥチュイムニ》の多声性が追求され、また『クジャ幻視行』『月やあらん』（2012）などで、崎山は、他なる者たちの声を聞き書くこと、すなわち「**聞き書き**」をめぐる思索を深めている。崎山の小説の多声性は、本来的に対話的で集団的、社会的で歴史的な言語そのもののあり方を提示する。

表象支配、マイナーな政治

小説「見えないマチから」がまた焦点とするのは、エドワード・サイードが提起した**表象の支配**の問題である。ポストコロニアリズム批評の起爆剤となり、生産的な批判も受けてきた『オリエンタリズム』（1978）のなかで、サイードは、古代ギリシャ悲劇から現代アメリカの中東研究まで、西洋による「東洋」の表象の仕方、「西洋」による「東洋」をめぐる言説のあり方を粘り強く分析することで、次のことを示した。すなわち、「西洋」が描く「東洋」は、けっしてその「存在」そのものではなく、西洋の眼から見て「東洋化」された構築物であり、その「東洋の表象」が西洋による現実の東洋の支配を支え強化してきたのだ、と。このような表象による支配は、「東洋」を見られ語られる客体とし、「西洋」を見る語る主体とする権力構造を前提におく。こうした権力構造と、それに基づく表象による支配は、「ヤマト」（本土）と「ウチナー」（沖縄）間の植民地的な支配関係にも当てはまる。

この小説では、沖縄に対する本土の表象支配が上演されている。まず、この小説は、「色白」で「ヨソの人」のような「ヤマトグチ」（標準語）で話す東京に住む娘にかりそめに本土《ヤマト》の視線を仮託したうえで、沖縄《ウチナー》にとどまりつづけた娘の語りでのみ展開する。「ママ」の死に顔を見て「皺」が「ない」と述べる本土の娘の言葉は、本土による沖縄の表象支配の比喩である。「沖縄語」で同音異義語の「心配《シワ》」に通じる「皺」がないとの言葉は、「ママ」や沖縄が体験したかもしれない「心配」や「苦労」を無化して、美化するのだから。

と同時に、この小説は、この表象支配を複数のレベルで書き換えている。見る語る側に沖縄をすえる語りの構成は、見る語る主体の本土と見られ語られる客体の沖縄という支配的な表象の構図を逆照射し異化している。また、本土であると同時に沖縄である本土在住の娘の混交的なあり方に象徴されるように、小説全体が、支配的な表象の権力構造を攪乱している。引力のおかげで「皺」＝「心配《シワ》」がないように見えるだけだと「教えてあげる」沖縄の娘は、沖縄表象を知の形で提供してきた支配者・本土の身振りを擬態しつつ、「癒しの南の島」の同工異曲である紋切型の沖縄表象に異議を申し立てる。

　本土が沖縄であり、沖縄が本土でもあるというこの小説の戦略的な編成は、純粋な沖縄的他者性に対する本土の植民者的視線という二元論を攪乱するが、それは、沖縄の**ポストコロニアル**状況への対応でもある。小説の現在時である二十一世紀初頭、小説の舞台であるコザでは再開発が進む。その再開発は、「銃剣とブルドーザー」による強制的な土地接収と軍事基地化という戦後直後の開発との連続性を持ちながら、同時に、国家と資本がより深く手を結んでいる点で質的な変化も伴う。世界中に網をかけるグローバル資本は、強権的に排除するのではなく取り込みながら差異化する。包摂的暴力による「上品な支配」が、この再開発だと言える。この小説の混交性は、こうした後期資本主義、すなわち**ポスト冷戦とグローバリゼーション下**の多国籍市場における文化的異種混交性、グローバル資本がもたらすイメージの急激な脱領土化に呼応している。しかし、軽々と国境を越える資本の脱領土化に対して、沖縄の女たちの脱領土化は、帝国主義的、植民地主義的な歴史の重みを抱え込んだままである。多国籍企業が「第三世界」の貴重種を商品化すべく、「現地生まれの情報提供者《ネイティブ・インフォーマント》」を活用するグローバル資本主義下で、この小説の女たちは、この世界の片隅でとり残されるようにひっそりと生涯を終えたひとりの女について語らいあっているのである。

　崎山は、エッセイ「「残雪」という名の夜の塔」で現代中国の作家・残雪の愛読者であることを明かしている（『コトバの生まれる場所』２００４）。一方、『魂の城　カフカ読解』を記した残雪にとって最も重要な作家のひとりはカフカである。残雪を通じてカフカとつながる崎山の文学には、マイナー文学を特徴づける「**少数派的な政治**」があらわれている。

ドゥルーズにおいて、マジョリティ（多数派）とマイノリティ（少数派）の違いは、数の多寡によるもの——数が多いからマジョリティ、少ないからマイノリティ——ではなく、質的な違いであり、質的な区分である。多数派は、その自己同一性に関する規範をあらかじめ持ち、それを測る確たる尺度や基準を備えている。その規範、尺度や基準はメンバーの変遷によって変更されるものではなく、またそれが多様化し、複数化することもない。たとえば、「人間」（men）に関する規範は、所与で自明なものとして前提され、女性や黒人や有色人種も（彼ら・彼女らは）「我々と同じである」と主張され、規範を変更することなく、同じ「人間」として承認し構成員として包含する。多数派的な政治は、表現に先立つ自己同一性を持ち、多数派的な文学は、自らを「同一」で「一なる」普遍的な自明の主体として表象する。

それに対して、少数派の政治は、その自己同一性に関して、尺度や基準、規範をあらかじめ持たない。したがって、少数派の文学、つまりマイナー文学は、あるものが何であるか、その存在を表明するものとはならない。表現すべき所与で自明な尺度や基準、規範は、存在しないからだ。マイナー文学は、ドゥルーズとガタリが「来たるべき民衆」と呼ぶものを生産するために書かれる。「来たるべき民衆」の「来たるべき」とは、いまだないもの、これから到来するもので、民衆とは複数性をもつ集団性である。つまり「来たるべき民衆」とは、現実にあるものを超えた潜在的で未決定な集団性のことであり、一にして多かつ他の「群れ」である。たとえば、ドゥルーズは「女性」という「群れ」は、それが「白人」女性や西洋の中産階級を中心化していることに対して、「黒人」や「有色人種」の女性、同性愛の女性、第三世界の女性、トランスジェンダーの女性などからの異議申し立て、あるいは、その参加を受けて揺らぎ、複数化し多数化しつづけていると言う。群れとは、いまだなくつねに未決定なものとして潜在し、しかも、それはひとつではなく同一性を持たないという意味で、主体ならざる主体である。「来たるべき民衆」とは、同一的なアイデンティティではなく、複数的で曖昧な個体群として潜勢する主体ならざる主体、未だ方向づけられない力である。

言葉が生み出す少数派の規範は、つねに暫定的なもので、創造の過程のただなかにある。たとえば、「女性」という規範、基準、尺度は、小説や詩、戯曲など書かれたものを通じて創造されつづけ、創造のプロセスにあり続ける。その意味で女性運動は、その初めから「文学運動」だったとも言え、同時に「女性」は「女性」ならざる「女性」である。崎山の文学もまた、「沖縄」という所与で自明な自己同一性を表現するのでも、その主体を表象するのでもなく、むしろそれら同一的なるものを拒み、複数的で潜勢する「オキナワ」という「群れ」を創造=想像しつづけている。

言語による傷

「言語の脱領土化」が重要なのは、言語の領土がときに排他的にも抑圧的にも働くためである。小森陽一は、「国家＝人種・民族＝言語＝文化」の境界を同一円心上で捉える「四位一体」の思考が、差別や排除を生み出してしまうことを指摘している。

重要なのは、「日本」－「日本人」－「日本語」－「日本文化」の結合が、あたかも自明な統一体のように錯覚され、自らの存在が、その統一体を構成する属性であるかのようにひとたび認識されてしまうと、それは非常に強力な差別と排除の思想と言説を生み出す装置になることを、いま、あらためて自覚し直すことである。（『〈ゆらぎ〉の日本文学』ＮＨＫブックス、１９９８年、７頁）

酒井直樹によれば、この「四位一体」の日本という統一体は、実のところ、近代に構築されたもので、国民を同一化し統合をはかるための統制的な理念にすぎない。にも関わらず、それは実体化されている。たとえば、日本文学を、日本にいる日本人で書かれた文学である、と考えてしまうように。これがいかに転倒された理解のあり方なのかを、酒井は、日本列島の過去の言語状況を分析することであらわとしている（『死産される日本語・日本人』１９９６）。

他方、「四位一体」の思考が差別と排除を生むというのは、たとえば、そのなかに、日本国籍を持たない在日朝鮮人が日本語で書いた文学は含まれないからだ。日本によって朝鮮半島が植民地化された結果、日本にとどまることになった在日朝鮮人が日本語で書かざるを得ないということは、植民地主義の歴史が個人にもたらすことになった矛盾である。その在日朝鮮人が日本語で書く小説や詩は、言語の領土と、国家および人種・民族の領土を一致したものとする基準においては、そのうちに居場所を得ることは叶わない。

「在日朝鮮人二世」の作家である金石範《キムソクポン》は、こうした「国家＝人種・民族＝言語＝文化」を同一円心上で捉える「四位一体」の思考と結びつきやすい国文学や日本文学ではなく、日本語文学という名称を提唱している（『ことばの呪縛　「在日朝鮮人文学」と日本語』1972）。国家や民族の領土から引き剝がされた日本語の文学の意味だ。かつて植民地朝鮮、台湾出身の文学者が差別と同化が折り重なった日本語によって書いた小説は、「国民文学」と呼ばれていた。日本語文学は、この植民地主義の「国民文学」への批判的な緊張感も湛えている。この脱領土化された日本語文学の地平において、『源氏物語』や夏目漱石の小説などと同じように、在日朝鮮人が日本語で書く小説や詩もまた、居場所を得ることが可能になるだろう。

「在日朝鮮人二世」にあたる李良枝《イヤンジ》の『由熙《ユヒ》』（1988）は、言語がもたらす傷を通じて、こうした「四位一体」の思考に問いを投げかける。李良枝は、韓国語や伝統芸能を学ぶ留学先のソウルで小説を書き始めた。中上健次の勧めで書き始められたという李の小説のいくつかは、その留学経験を素材としている。日本からソウルに留学する「在日同胞」――「在日朝鮮人二世」の女性の名前をタイトルとする『由熙』もそのひとつだ。ただし、日本語で書かれた『由熙』には、その言葉のうちに翻訳が畳みこまれている。語り手は、作家の分身的な「在日同胞」ではなく、韓国人の「私」であり、韓国語話者の「私」の語りが日本語で記され、時折ハングルも織り交ぜられている。

E女子大学を卒業して小規模出版社につとめる「私」は、ソウルの叔母の家に暮らしている。その家に韓国最高水準のS大学国文学科に通う「在日同胞」の留学生である由熙が暮らし始める。しかし、「私」と叔母と由熙、3人の同居生活は、由熙が卒業間近の大学を中退して日本に帰国するかたちで幕が降ろされる。物語は、由熙が「私」の前からいなくなった帰国の日から語りおこされ、不在の由熙をめぐる過去の回想と由熙のいない現在が綴られていく。

「私」の手には、由熙が日本語を記した分厚い紙の束が残される。韓国にとどまることを勧める「私」の説得も受け入れず日本に帰ることを選んだ由熙。その由熙がソウルでひとり書き記したその日本語に、「私」は、「自分の誠意」が「裏切られたような気がしてな」らず、「由熙の遠さ、二人のどうしようもない距離を感じ」てしまう。

「私」と由熙の間を隔てるのは、単なる言語や文化の相違、あるいは異なる言語間・異文化間にある者同士のディスコミュニケーションや意思疎通の難しさではない。その間は、その言語が携える民族や国家の歴史性、民族や国家の象徴という言語のシンボル的な意味によって引き裂かれている。しかも、それは由熙自身をも引き裂くものだ。

由熙は、いつも目覚める瞬間、「アー」と「声」のような「息」のような「言葉にならない言葉」を「口の中で」つぶやく。その時、由熙は、「ことばの杖」を「摑《つか》めるかどうか、試されている」ように感じる。

——아《ア》なのか、それとも、あ、なのか。아であれば 아《ア》、야《ヤ》、어《オ》、여《ヨ》と続いていく杖を摑むの。でも、あ、であれば、あ、い、う、え、お、と続いていく杖。けれども、아なのか、あ、なのか、すっきりとわかった日がない。ずっとそう。ますますわからなくなっていく。杖が摑めない。（『李良枝全集』講談社、449‐450頁）

「アー」という音は物質性である。音という物質性は、ひとつの言語体系を超えた普遍性を携えている。しかし、その音は、特定の言語体系の中で実質性を伴っている。言い換えれば、「アー」という物質としての音は、ある言語体系の中で特定かつ固有の実質性において、つまり日本語では「あ」、韓国語では「아」において体験される。由煕が目覚めの瞬間に「口の中」でつぶやく「アー」は、どの言語体系にも回収されない、文字通り「言葉にならない言葉」である。それは音が言葉になって意味に依存する手前の、空気から変わったばかりの「ことば」の響きだ（ドゥルーズなら、この意味や解釈から引き剝がされた響き、音を、言語の強度的使用法として称揚するだろう。しかし、李良枝は『由煕』で、その音を発する身体にも注意を向ける）。

わたしたちは、日々、この響きを、ある特定の言語体系の中で位置づけ、語や文として分節し、その意味を確定させるという連続した作業を繰り返し行なうことで、「言葉にならない言葉」を言葉にしている。「ことばの杖」とは、こうした個人の言語活動を支える前提を指すもので、「ことばの杖」をつかむとは、その前提を所与のものとして受け入れ自明化する行為をあらわすものだろう。

「国家＝人種・民族＝言語＝文化」の「四位一体」の思考回路において、「ことばの杖」をつかむ行為は、ときに自動化されている。自分を取りまく複数の領土の境界に齟齬や矛盾を感じることがないからだ。しかしながら、日本に植民地化されていた朝鮮半島から日本に渡った父をもつ「在日朝鮮人二世」である由熙は、日本語話者として育った「在日同胞」だ。物心ついてから第二言語としてハングルを学んだ由熙は、言語・民族・国家、それぞれの領土と境界が一致をしていない状態にある。言語の境界と、民族や国家の境界が異なる由熙にとって、「ことばの杖」は所与でも自明でもなく、その度ごとに必死に摑みとらなければならない。そうであるがゆえに、由熙は「ことばの杖」をつかみ損ね、日本と韓国、日本語と韓国語のなかで自分の居場所を探し損ねてしまう。

言葉によって引き裂かれる由熙は、言葉によって傷つけられている。ここで参照すべきは、他者の言語の貫入という被傷性を言語の「主体」の条件においたジュディス・バトラーの議論である。バトラーは、言葉が他者の言葉の引用であることそれじたいを題名に含意させた著書『触発する言葉』(ex-citable speech)において、中傷的な発話に抵抗するための理論的な考察を行っている。そこでバトラーは、国家が後援する検閲という解決策ではなく、「言語が社会的、文化的に苦闘して」「中傷的な言語の力をべつの方向に流用して、その中傷作用に対抗させせ」る戦略を根気強く模索している。その際、バトラーが着目するのは、言語によって受ける傷と身体的に被る傷、ふたつの傷が比喩的に結びつくことだ。

実際、言葉で傷つけられることを表現するための特有の言語はない。言語による傷を語るには、その語彙を、身体的な傷の表現から、いわば無理矢理に借りてこなければならない。この意味で、身体的な被傷性と言語上の被傷性を比喩によって結びつけることは、言語上の被傷性を記述するさいには不可欠なことだと思われる。一方では、言語による傷をあらわす「固有の」表現がないために、言語上の被傷性を身体的な被傷性の上位に、あるいはそれと対立するものとして特定することはさらにむずかしくなる。他方で、言語による中傷を記述するさいに、身体的比喩がほとんどの場面で使われているということは、言葉によって受ける痛みを理解するうえで、身体的次元が必要であることを示唆するものである。ある種の言葉やある種の名指され方が身体上の安寧に対して脅威としてはたらくだけではなく、名指しの方法によって身体が支えられたり、身体が脅かされていることが、これではっきりとわかる。(ジュディス・バトラー『触発する言葉』岩波書店 2004年9頁)

バトラーは、言葉によって受けた傷(言語上の被傷性)が、身体的な傷(身体的な被傷性)で語られることを指摘する。そこからバトラーは、特定の「言葉」や「名指され方」が「身体上の安寧に対して脅威」になるのではなく、「名指しの方法」、つまり言葉の使い方によって「身体が支えられたり、身体が脅かされ」たりすることを導きだす。この身体にとって支えにも脅威にもなる言語使用の両義性を梃子とし、バトラーは、反復的な言語使用に、中傷的な発話に対する偶発的な転覆作用を見いだすことになる。

だが、ここで注目したいのは、「言葉によって受ける痛みを理解するうえで、身体的次元が必要である」という指摘である。言語によるダメージは身体に及び、身体の次元を抜きにして、言葉による傷を理解することはできない。

ただし、右でバトラーが問題にしているのは「クィア」や「黒人」や「女」という誹謗性を帯びた名称（蔑称）や、憎悪表現や差別的語彙など、特定の「言葉」や「名指され方」によって誰かを傷つけようとする言葉であり、自分に先立ってほかの誰か、つまりまずもって他者から放たれる言葉である。それに対して、由煕の傷は、言語が携える歴史や言葉そのもののシンボル的な意味――言語そのものの歴史性や象徴性によってもたらされ、またその発し手に自分自身を含む。とはいえ、バトラーによれば、そもそも言語の「主体」は他者の言語で主体化され、ゆえに言語は他者の言葉に他ならないのであって、それが言葉による傷である限り、身体的な傷の「次元」がある。実際、「慰安婦」と呼ばれた「日本軍性奴隷制度」から生きのびた女性たちがその時の出来事を証言するとともにくずおれ、その場に倒れこむ姿を見て、わたしたちは、その出来事の記憶が、そしてその証言という自ら発する言葉が身体にもたらす傷の想像を絶する深さを、強い衝撃とともに理解する。

言葉による傷を被る由煕のポジションは、同じ大学の先輩である「私」の叔父と反転したかたちで重なっている。日本による植民地支配の時代から「反日意識」が強く、多くの有名な反日の闘志も輩出した慶尚道のトンネ（村）で生まれ育った叔父は、貿易商となり年に数度出張で日本に出かけるようになっても、「読むことも書くこともみなできるのに」「日本語がうまく喋れない」まま亡くなった。それは、韓国語を書くことは巧みでも話す段になるとつまずいてしまう由熙の姿と折り重なる。

由熙が発明する「母語」の観念は、言葉によって受けた傷と結びつく身体的な傷の「次元」を照らしだす。大笒（横笛）は「口を閉ざ」して吹くことで「声が音として現れる」楽器である。そして、その音こそ「母語」だ、と由熙は言う。閉ざした「口」から漏れる声の音とは、由熙が目覚める瞬間に「口の中」でつぶやく「アー」、つまり「言葉にならない言葉」を指すものだろう。大笒の音を「母語」と捉える由熙の感覚と認識は、言語行為を大笒の演奏に重ねあわせており、声をだし言葉を話す身体を、その一部を使って空気を震わせたり響かせたりして音を奏でる「楽器」と捉える見方につながっている。ならば韓国語を話す時、日本語という音をだすことに慣れ親しんだ「楽器」のような由熙の身体は、別の使い方を要求されることになるはずだ。ここに示唆されるのは、身体の苦痛——唇や舌、口蓋や口腔、声帯や咽喉、気管などの異なる使い方を強いる肉体的苦痛として体験された由熙と韓国語の出会いであり、叔父と日本語の出会いである。韓国語を「からくて、苦くて、昂ぶっていて、来ているだけで息苦しい」「催眠弾」のように感じる由熙を襲うのは、この身体的な苦痛である。由熙が現状を乗り越え「日本も韓国も変わりない」と思えるように、いつも「心の中で応援していた」叔母は、こうした痛み——叔父が体験したものと重なる由熙の痛みを感知していたにちがいない。

「ことば」の感触に可感的にする

韓国にとどまることを辞め日本に戻ることを選んだ由熙と、それを許せない気持ちの「私」。この小説では、「ことば」の感触がふたりの溝を埋めていく。由熙は、「アジュモニとオンニ」、叔母と「私」の声が好きだ、ふたりの韓国語が好きだ、と告げる。「おふたりが話す韓国語なら、みなすっとからだに入ってくるんです」。また由熙が残した紙の束を抱えた「私」は「自分の腕の中」に「由熙の文字が束ねられてい」ると感じ、「文字となった由熙の文字を抱えているような気が」する。由熙のハングルに感じたように、日本語を解さない「私」には読むことができない由熙の日本語の文字も「息をして」「声を放ち、私を見返している よう」だった。ふたりは、声や文字の「ことば」のなかに相手の「仕草」や「表情」「視線」を見出し、固有の肌理や息遣いを感受している。「ことばの杖」は民族・国家の歴史や境界が刻印され、言語そのものの歴史性や象徴性から逃れることはできない。しかし、「ことば」には、それを用いた誰かの「言葉遣い」、固有の感触が宿っている。国家や民族が言語にもたらす生々しい軋轢をすべて払拭することは不可能でも、「ことば」に息づく個的な感触を手がかりに相手と触れあうことはできるかもしれない。由熙と「私」の「ことば」を通じた触れあいは、その可能性を示唆する。

小説の結末部、「私」は「아の余韻だけが喉に絡みつき、아に続く音が出てこな」くなり、「杖を奪われてしまったように」立ちすくむ。「私」の手を放れたのは、「ことばの杖」であ

る。「私」は「音を捜し、音を声にしようとしている自分の喉が、うごめく針の束に突かれ燃え上がって」いるように感じる。「ことばの杖」を手放す。この時、「私」は、由煕の痛みに訪れられつつ「言葉にならない言葉」をつぶやくことになるだろう。

『由煕』が示すのは、情報伝達や意思疎通の道具ではない「言葉遣い」――すでにある情報や意味を伝える記号としてではなく、言葉以前の事柄がみずからを語る言葉を得ようとするところに息づく言葉の潜在的な力や感触である。ジョルジョ・ディディ＝ユベルマンは、世界的に進行＝深更する危機の時代のなかで「人民」を再考するにあたって、人びとを「可感的にする」ということを提起している。「可感的にするとは感覚によって接近可能にするということであり、われわれの知性と同様にわれわれの感覚が常に「意味をなす」とは見なし得ないものを接近可能にするということである」（ジョルジョ・ディディ＝ユベルマン（市川崇訳）「可感的にする」アラン・バディウ他『人民とはなにか？』以文社、2015年）。叔母を由煕の傷に、「私」を「ことば」に可感的にしたように、『由煕』は、「意味をなす」とは見なし得ない「言葉ならざる言葉」にわたしたちを「可感的にする」。

翻って文学理論もまた、詩や戯曲や小説の「言葉遣い」、偶有的な言葉の生に対して、わたしたちを「可感的にする」技術《メチエ》とも言えるだろう。ならば、文学理論は、誰かからの「御宣託」でも超越的な原理でもない、つまり所与で自明な規範、基準や尺度ではない。それは、「来たるべき文学」を、「来たるべき批評や研究」を創造＝想像する絶えざるプロセスに他ならない。

▼用語解説

翻訳

ドイツの思想家ヴァルター・ベンヤミンの「翻訳者の課題」は、1923年、彼の翻訳によるボードレールの「パリ情景」の独仏対訳版の序言として公刊された。そこで彼が唱えた翻訳は、言葉自らを「自己再帰的」に問うために異なる言語を「照応」させる行為だ。ベンヤミンによれば、諸言語は自国語の意味体系を超えたところに「純粋言語」を潜在させている。「純粋言語」は個々の作品内部においてはそれとして気づかれず、諸言語が他の諸言語と関係性を結ぶ翻訳においてそれへの「志向性」が浮上する。そのためベンヤミンは、原作の「言語遣い」、「意味する仕方」のひとつひとつに呼応する「字句通り」の翻訳を目指し、原作に対する忠実性で言語を自壊させることも躊躇わない。かくしてベンヤミンは、民族や国民など「仲間内」の間だけで通用する「母語」の限界を突破し、それぞれの言語の体系性のうちに閉塞し記号の弁別機能に硬直化する言葉の内部に、他の言語と響きあう回路を開こうとする。この翻訳論を、ベンヤミンは、第一次世界大戦後も継続するドイツのナショナリズムと近代的言語の確立過程で、なおかつ再度の戦争とファシズムの影で言語が道具化される危機の時代に構想した。

同様の言語による言語の精錬を中国にて同じ翻訳で企図したのが、魯迅だ。中国初の白話文（口語体）による現代小説「狂人日記」を書いた魯迅は、科挙制度以来知識人が占有してきた文字による文言文の覇権に対して、言語改造を推進した中心人物のひとりである。中国における近代的言語の確立期であると同時に植民地化と戦争の危機（内戦と抗日）を抱えた大衆社会の勃興期に、中国小説史家かつひとりの読書人として翻訳こそが言語（「文」）を革新しつづけてきたという歴史感覚にも裏打ちされて、魯迅は、翻訳による言語革命を唱え実践する（「「硬訳」と「文学の階級性」」1930）。翻訳を通じて更新される言語の生という観点を、ベンヤミンと魯迅は共有している。

マイナー文学・少数派《マイナー》的な政治／多数派《メジャー》的な政治

　フランスの哲学者ジル・ドゥルーズとフェリックス・ガタリが提唱したマイナー文学は、「メジャー言語のなかにマイノリティが生み出す文学」であり、「言語の脱領土化」をおしすすめる文学だ（『カフカ　マイナー文学のために』1975）。「言語の脱領土化」とは、ある言語をその使用を通じて異質なものに変化させ、その言語から漏れ出すようなマイナーな使用法を発明することである。支配的・規範的な「メジャーな言語」の支配や束縛から逃れ、言語を歪めたりずらしたりして国家・民族といった固定的な領土からひきはがすことがその要である。マイナー文学はまた、「来たるべき民衆」を生産するために書かれるが、「来たるべき」が示す潜在性を指す潜在的なものは、あらかじめ何であるかを描きだすことのできないもの、現実化させてしまえばそのあり方が変容してしまう未決定性にある力や運動性である。

　少数派の政治（マイナー）と多数派の政治（メジャー）を、ドゥルーズとガタリは「分子的なもの」と「モル的なもの」と呼ぶ。分子／モルの「二つの形態は、小さい形態と大きい形態のように、その規模によってのみ区別されるほど単純ではない」（『千のプラトー』1980）。両者は数や規模の大／小の違いではなく、質的な区分である。「モル的なもの」は、「統一化され同一化〔身分特定〕されたモル的集合」のことであり（『アンチ・オイディプス』下、1973）、二元論的に構造化されたもの、ある集合内で等質性や全体性が前提されたもの、特権的な中心の周囲に形成される組織などがそれにあたる。反対に、「分子的なもの」は、統一化を逃れ散逸していくもの、構造から漏れ出てゆくもの、変化のプロセスにある同定しえないものであり、「来たるべき民衆」はそのひとつである。

ポリフォニー・聞き書き

ソ連の批評家・文学者ミハイル・バフチンの「対話主義」的文学論を代表する概念。ポリフォニーとは本来、複数の声部からなり、それぞれが独立した旋律とリズムを持ちながら対等の立場で絡みあっていく様式の多声音楽やその作曲形式を意味する音楽用語だが、バフチンはそれを文学理論に転用した。バフチンによれば、ドストエフスキーの小説では、作者が登場人物を単声的《モノローグ》に客体化するのではなく、両者が対等の存在として設定され、それぞれのイデオロギーや階層、性差などの差異を前提に、自立した声や意識が織りなす対話的な関係にある。作者と登場人物たちが対話の構造を持ち、それら複数の声が組み合わさって出来事をなす小説を、バフチンはポリフォニー小説と呼んだ。ポリフォニーは、作者の思考を内的対話として捉えており、独言の内なる対話性を浮上させる。

このひとりでいる時でさえ集団的な言語、多声性の極北に、「聞き書き」というジャンルがある。戦後「女性保護」の名目で坑内労働が禁じられた筑豊の女坑夫たちの戦前の経験を聞き書きした森崎和江の『まっくら　女坑夫からの聞書き』（1961）には、複数の声が交錯し共鳴しあい、また水俣病の患者たちの声を集めた石牟礼道子の『苦海浄土　わが水俣病』（1969）には、ビラや政治文書、医師による報告書や患者カルテ、新聞記事、論文、古文書、その他、多種多様な言葉が編み上げられている。森崎は1958年九州の筑豊で、上野英信、谷川雁らと雑誌『サークル村』を創刊する。『サークル村』では聞き書きをはじめとする集団創造の文化の可能性が追究され、森崎はのちの『まっくら』となる「スラをひく女たち」を連載し（59年7、8月号、60年2、3、4月号）、『苦海浄土』としてまとめられる石牟礼の最初の文章「奇病」も掲載されている（60年1月号）。記録と文学の間《あわい》に響くこの多声的な言葉は、既存の「文学」概念をその内側から揺るがし、問いなおす契機を生みだしている。

表象

あるものを別のもので表現するものやその行為を意味し、政治的社会的な「代表」「代弁」と言語修辞的美学的な「再現」「提示」という表裏一体の両義性をもつ。サイードの『オリエンタリズム』（Orientalism、1978）の分析は、「表象」を理論的な前提においている。同書のエピグラフのひとつカール・マルクスの『ルイ・ボナパルトのブリュメール18日』（1852）の一文は、その前提を示唆する。「彼らは、自分で自分を代表することができず、だれかに代表してもらわなければならない」(They cannot represent themselves; they must be represented)。マルクスの同書は、フランス第二共和制における諸階級の政治闘争が、いかにナポレオン三世(ルイ・ボナパルト)のクーデターを定着させたかを分析したものであり、「ボナパルティズム」——近代社会のブルジョアジーとプロレタリアートの階級対立が均衡状態を生み、特定階級による支配が行われにくくなったとき、一時的に両者に対して一定の自立性をもつ国家権力や専制的政治権力が樹立されること——の語を世に広めた。この文の「彼ら」とはフランスの分割農民(独立自営農民)を指し、先の文は、フランス革命で王政秩序が崩壊し、近代的な市民社会と代表制の成立期の文脈において書かれている。"represent"は、代議士(representative)が選挙区で選挙民を「代表」するように、政治的な代表制の含意であり、「自分では語ることができない」ものに代わって発言する「代弁」を意味する。同時に、"represent"は「提示する=再現する」という意味をもつ。"present"=「現前させる」に対して、"represent"は、現実の土地、事物や人などの「存在に代わって」、あるいは「存在しないもの」を「提示する」「再現する」「代行する」という言語修辞的美学的な行為を意味する。サイードは、政治的な「代表」「代弁」と他者や異文化の「再現」「提示」、この両方の意味での「東洋の表象」を分析した。サイードの試みのように、「表象=代表」(「代弁」「再現」)を分析することは、政治的社会的なレベルと言語修辞的美学的なレベルが吸着した地平で文学を問題化することに通じている。

脱植民地化と脱冷戦／グローバル化

インド出身でアメリカ合衆国の思想家ガヤトリ・C・スピヴァクは、著書『サバルタンは語ることができるか』（1988）で、土着主義と植民地主義、家父長制と帝国主義の共犯関係のなかで寡婦というサバルタン女性の声が、いかに抑圧されるかを論じた。

『ポストコロニアル理性批判』（1999）において、スピヴァクは、グローバル化が進行＝深更する現在、サバルタンが二極化していることを指摘する。サイードが批判した「オリエンタリズム」では植民地の「情報提供者」をほぼ宗主国の知識人が占めた。しかしながら、先進工業国の大学や研究機関でポストコロニアリズムが学問の一分野として制度化される現代では、たとえば、インド生まれで高等教育を受けた知識人がアメリカでその学問を教えている。こうした傾向は大学の研究教育にとどまらない。今日の多国籍企業は、先住民によって長年保持されてきた薬草や特産物などの知識を領有し特許化しようとする。このグローバル資本主義の増幅のなかで、「現地生まれの《ネイティブ・》情報提供者《インフォーマント》」は、現地の知恵や鉱物的・生物学的知識を切り売りする媒体となって先進工業国で特権を得ていく。一方に旧宗主国である先進国で特権的な地位を享受する「現地生まれの《ネイティブ・》情報提供者《インフォーマント》」がおり、他方には旧植民地である「第三世界」の底辺労働者が存在する。同時に、先進国でも「第三世界」でも、こうした富や特権の格差が遍在する。ポスト冷戦＝グローバリゼーションが進むポストコロニアル状況では、東西の内部に南北が浸食し、従来の旧宗主国と旧植民地という二分法が意味を持ち得ず、トランスナショナルな枠組みでの批判的思考が要請される。

一方、グローバル化が進む今日も、冷戦的な思考や感性は淫靡な影響力を行使している。一九五〇年代の日本社会では、「無名」の人々が集まって詩を書き、ガリ版刷りのサークル詩誌を作り、演劇、美術、合唱などの活動をし、生活記録や学習のための「サークル」を組織した。前項で言及した「サークル村」をはじめとするサークル文化運動とは、このような職場や地域の人々による集団的な文化運動を指すが、今日、その潜勢力を知覚することは容易ではない。経済原理が浸食する経済成長期以後の感性と、五〇年代に存在した社会主義的運動の文脈が不可視化された冷戦以後の文化構造が、その知覚を妨げるからだ。労働者など多様な「人民」の集団を主体とし、集団創造されたサークル詩誌は、市場で売買され私的所有されうる商品とは根本的に異なっている。それらは、私有も消費もできない共有財《コモンズ》だ。詩、版画、幻灯、生活記録など多岐のジャンルに渡るサークル文化は、今日の文化をめぐるものさし《スケール》や自明化された認識の枠組《フレーム》みを動揺させるだろう。

もっと〈言葉〉について知るための10冊

ヴァルター・ベンヤミン『ベンヤミン・アンソロジー』山口裕之訳、河出文庫、2011年。

ジル・ドゥルーズ、フェリックス・ガタリ『カフカ　マイナー文学のために　新訳』宇野邦一訳、法政大学出版局、2017年。

崎山多美『クジャ幻視行』花書院、2017年。

エドワード・W・サイード『オリエンタリズム』上・下、今沢紀子訳、平凡社ライブラリー、1993年。
小森陽一『〈ゆらぎ〉の日本文学』NHKブックス、1998年。
酒井直樹『死産される日本語・日本人「日本」の歴史　地政学的配置』講談社文庫、2015年。
金石範『金石範評論集Ⅰ　文学・言語論』明石書店、2019年。
李良枝『由熙』講談社、1989年。
ジュディス・バトラー『触発する言葉』竹村和子訳、岩波書店、2004年。
石牟礼道子『苦海浄土』講談社文庫、2004年。

第4章

欲望

執筆―新田啓子

主体という問題

「欲望」という一般名詞は、われわれにとってそう縁遠い難語ではないはずだ。日常的によく使うかどうかは別として、たとえどこかで出会っても、特段理解に窮することはない言葉だろう。ところが近代以降の人文学は、この単語に、人間存在の本質にかかわる複雑な概念を託してきた。つまり、何かを強く求め、欲する気持ちを表すだけにとどまらず、思いのほか思想的な多層性をもたされているのが、この「欲望」という言葉である。

英語においては一般的にdesireがこの語にあたるが、これは文献初出が14世紀初頭、中世から使われてきた言葉である（『オックスフォード英語辞典』）。対して日本語における用例を『日本国語大辞典』で調べてみれば、あげられているのは幸田露伴の「露団々《つゆだんだん》」（1889）、

「清国に対する宣戦の詔勅《しょうちょく》」（1894）、さらには志賀直哉の『暗夜行路』（1921–37）と、明治以降の典拠であり、ここから欲望という日本語は、比較的新しいということがわかる。しかもここに、日清戦争を布告する天皇の言葉があがっているのはきな臭いことこのうえないが、彼がここで、朝鮮を占領する清国の「欲望」を非難した例は、この語が運ぶ感覚をうまく伝えているように見える。

つまり欲望とは、根本的に、自己がこの世にあるという事実を肯定し、維持する行為の原動力を指す。17世紀オランダの哲学者、バルーフ・スピノザは、人間を含めた万物の現実的な存在の原理を、「おのおのの物が自己の有に固執しようと努める努力」（『エチカ』第3部定理7）と規定した。事物とは、当然おのれを存続させる仕組みによって、存在するということである。そしてこの、「有」への「努力」が「精神と身体の両方に関連」づけられ、現れることを、スピノザは「衝動」と呼んだうえ、この「衝動」が、さらにその持ち主自身に意識的に経験された状態を、「欲望」として定義した（同定理9の備考）。

こうした理解は、ドイツ観念論のG・W・F・ヘーゲルの人間観にも確認できる。ヘーゲルは、人がそれぞれ固有の知覚や意識を練り上げ、世界と関わり、自己をかたちづくる際の磁場として働く精神の機構を追究した哲学者だ。人の主体化を媒介する不可避の経験、つまり客体との対峙とそれを経た承認のドラマに、彼もまた、「自己意識の対象」としての「欲望」なるものを想定していた（『精神現象学』「自己意識」章4節）。「自己」の前に立ちはだかる「自立的」な対象を、欲望することこそが自己意識の始まりだとしたヘーゲルにおいても、欲望とはつまるところ、自己保存をめざす心の働きであったといえるだろう。

主体化をゴールとするこの欲望が、「自己」と対等な客体の認識なしには働かないという構造は、このモデルで最も強調すべき点だ。先に示した宣戦布告の例でみれば、朝鮮を対象とした清の欲望を糾弾する筋書きの、究極の目的は帝国日本の主体化となる。朝鮮と清国がひと続きの否定（敵対）的対象として、むしろ日本に望まれている。これらの国が、欲望する日本の自我を支えているというわけだ。いうなれば、帝国日本の欲望は、清国という他者の欲望との関係を通じ、自我理想に照らしたアイデンティティの確証に向かう。そしてこのシナリオは、人間的欲望にまつわるある重大な問題を示唆している。

人間を、それぞれに自己確証をめざして闘争する個体として思い描けば、相争う欲望をどう調停し、どう統べるかという問題がまず持ち上がるが、一方でそれは、政治の根本的な動機として知覚され、社会契約説などの統治理論や法規範を生みだした。他方、個体が他者のうちにみずからを投射し、そこに見た像から得られる理想を自己と等置して、アイデンティティを形成するというシナリオは、他者の認識↓領有↓消去という、承認の――実際には相互的でない――ナルシスティックな形式をあばく。承認とは、論理的には、承認する側とされる側の対等性に基づくはずだが、ヘーゲル的な形式は、主体と客体の非対称性に支配される。この二者は、想像のうえでは対称的かも知れないが、最終的な決着は、支配＝隷属のかたちをとるのだ。この図式を、「鏡像段階」という発達の物語で説明した精神科医、ジャック・ラカンは、主体化のドラマの前提となる欲望を、（宣戦布告のように意識的なものではなく）

人の自我獲得の無意識的なメカニズムと捉えたが、主体なるものに本源的に備わった攻撃性は見抜いていた。

「人が主体になる」という出来事を「承認への欲望」という観点から説く立場を批判的に見直すことで、なにを確かめることができるのか。まず、あたかも主体の外、つまり他者を知ることをめざすかに見えて、実は自己再帰的な欲望を、それが投影された他者の側から想像しなおす必要性だ。これはまた、欲望が、「主体として認められる」という物語に解消しない次元を思考することであり、物理的、言語的（文献で）、視覚的（イメージで）な差異との出会いは、その都度みずからの否定性と出会うという理を知るということにほかならない。

まったき人間の像を映す鏡の役割を果たしてきた否定性は数多あるが、最も古く、18世紀から論争に付されてきた第一の例は「女」と「黒人」、それを概念化した枠組みは、「ジェンダー」と「人種」である。以後、「セクシュアリティ」という切り口からは、「同性愛」という否定性が明るみにされ、われわれが価値を置く「健康」という尺度の用いられた系譜からも、「病」や「障害」の観念が作られた歴史が暴露されている。こうした要素は、万人を主体として等価とみなすヒューマニズムに疑いの目を向け、自我中心の視点に基づく人間観を炎上させる役割を果たした。以下ではこれら、人を人たらしめると信じられた「同一性」というフィクションを明るみにした、「ジェンダー」、「人種」、「セクシュアリティ」とはなにかを概観してみたい。

「産む性」とフェミニズム

ジェンダーとは、人間の「性」にまつわる現象を読み解く際の土台となる認識である。人の身体が性を帯びるという単純な事実が、社会的に惹き起こしている複雑な結果がジェンダーの作用であり、端的にいえば、性徴（セックス）に重ねて固定化された「性役割」を指している。社会的に作られた以上、これは当然、普遍的ではありえないし、生物学的自然でもない。例えば16世紀のヨーロッパでは、いまわれわれが認識する女や男のほか、「少年」という第三のジェンダーが存在した。こうした事例の意味合いは、われわれがなんらかの性徴を負って生きているという域を超えている。だから理論は、「性」の作用を解明するため、この「ジェンダー」という次元を措定する必要があった。

女や男という「性別」や、後段で説明する異性愛や同性愛などの「性的指向」（セクシュアリティ）を、人は通常、アイデンティティを決定する重要な要素と認めている。人が特定の性別によって判断され、男や女、また「そのどちらでもないもの」として表わされるとき、その認識にはかならずや、価値判断が外挿される。近代の人権概念は、本来、人間個体に備わる性器やホルモン、染色体で個人を分け隔ててはいなかった。しかし実際、生物学的差異がつくる男性や女性は、社会において違った機能を果たすものとされてきた。このように、成員に対して中立を標榜する社会でも、実は性差という要因に左右され、中立性を欠いている。

ジェンダーというカテゴリーは、そうした偏差を分析し、社会批判を行うための重要な切り口ともなってきた。「女に生まれて損をした」とか、「男はつらい」などという感懐に聞き覚えはないだろうか。それこそが価値観やバイアスをはこぶ、ジェンダーの作用にほかならない。つまりジェンダーは、さまざまな利害を作りだし、人々の行動に規制をかける。「男らしさ」、「女らしさ」、「性道徳」といった言葉は、われわれの生き方をしばりかねない最も身近な規制の例だ。

多くの国でジェンダー格差を初めて集合的に問題化し、性的マイノリティとしての女性の権利を主張したのは、19世紀の女権運動家たちであり、この動きを「第一波フェミニズム」と呼んでいる。米国では1848年、ニューヨーク州のセネカ・フォールズで開かれた女性の地位向上を目指す会議で、「所感宣言」という文書が発表された。ヨーロッパのフェミニスト（女性の権利の擁護者）にも膾炙したその宣言の起草者、エリザベス・ケイディ・スタントンは、「すべての人間（men）は平等につくられている」という「アメリカ独立宣言」の一節を書き換えて、「すべての男女（men and women）は平等につくられている」という訴えにした。それにより彼女は、人間という普遍化された範疇の欺瞞性に注意を喚起したのである。

市民革命のすえに確立された「人権」が、女性には適用されていなかったことへの異議申し立ては、事実上、男性のみをカウントする人間の定義をジェンダーの視座から問いただし、「婦人参政権運動」などに結実した。だがこの時代でも、フェミニストはただ、女の権利を拡張し、その地位を男並みに引き上げることで満足していたわけではない。自然科学の発展が緒につき、オーギュスト・コントの「実証主義」が、平たくいえば「目に見えるものしか信じない」科学的精神を、諸学の作法に広げた時代だ。女という現象も科学的に主張されるようになり、蓄積されたさまざまな知見は、女をめぐる想像力を爆発的に掻き立てた。おりしも着々と増えていた女性作家や芸術家など、思想言論の発信者たちは、科学が実証しつつあった女なるものの言説に呼応し、対抗的な観念を世に送り始めていた。

その感性が先駆的に結実した小説に、メアリー・シェリーの『フランケンシュタイン』（1818、31）がある。シェリーは、18世紀後半に男女同権思想や女子教育のあり方を説いた英国フェミニストの草分け、メアリー・ウルストンクラフトの娘であり、のちに同国屈指のロマン派詩人、P・B・シェリーと結婚する。この、まるでジェンダー系幻想文学の申し子のような人物が造形したのは、生命原理の謎に魅いられ、墓からあばいた死体から「人間」の製造を目指す科学者、ヴィクター・フランケンシュタインである。シェリーは彼の冒険的な行為を通し、「産む性」にまつわる不安や願いを客観的に問いただしたのだ。

物語中、フランケンシュタインが試みるのは、ほんらい女性の身体を介して完結する生殖を、女なしで行うことだ。果たして、近代科学が証明した女の生物学的真理とは、子宮の存在と出産という生理的な機能であった。ここから女だけが産む性として自然化され、女は家で家事と子育てに専念し、男は社会に出て働き一家を養うという、核家族（異性愛夫婦と未婚の子供からなる家族形態）を基盤とする性役割分業が定着した。これはまた、婦人参政権運動の動機ともなった。つまり、女の存在意義を生殖や母親業に一元化する人間観に異を唱え、男と同等の社会参加の権利保障を求めたのがこの運動であったのだ。

だが、シェリーが描いた男性科学者は、みずからが造った生命体に内面や知性が生じる一方、おぞましい外見をしていたことが受け入れられず、それからの逃走を企てる。その怪物が孤独を訴え、伴侶が欲しいと求めると、女の怪物を製造するが、この2人が繁殖させる子孫が人間を攻撃することへの恐怖心や、作り手の統御を超えて発達する彼らの自我への不安から、結局彼らを破滅に追いやり、みずからもまた死にいたる。このように、男性による再生産（生殖）の模倣の失敗を物語化した女性作家、シェリーのテクストはなにを伝えているのだろうか。

ここにまず読み取れるのは、女の自然とされた生殖や子育てへの、自負と抵抗の入り混じったアンビヴァレンス（両面感情）だ。19世紀に限らず現代にいたるまで、フェミニズムには、女を子産み道具とし、生殖義務を押し付けてくる社会通念に抵抗しつつも、男には真似できない妊娠や出産の経験から、女性の独自性と理想の社会像を打ち立てる意志が受け継がれてきた。シェリーにあっても、この気概を男性科学者への懐疑の形で表しているが、それ以上に、なにか異質なものを身籠ってしまう女の生理が女性自身に与える憂鬱や不安や恐怖を、怪物像が体現している。血が流れ、液体に満ちる女性の性器は、多くの文化圏で「不浄」なものと軽蔑され（ミソジニー）、出産の苦痛のみならず、産まれてくる子の姿形や性質など、不可抗力の結果に対する重圧も、すべて女にかけられてきた。怪物性とは、すなわち不自然に製造された人造人間のみならず、あらゆるお産に影を落とす本質的な脅威であるということを、シェリーはおそらく実感を込めて表したのだ。奇しくも彼女自身の母、ウルストンクラフトは、シェリーを産んだ11日後に産褥死した。

性と生殖の断層線

イタリア生まれのフェミニスト哲学者、ロージ・ブライドッティは、まさにシェリーが描いた怪物のような異類性と近接し、非人間性に（こういってよければ）より感染しやすいがゆえ不健全な、女という性を描いた諸学問の偏向性を検証してきた（『ノマド的主体』*Nomadic Subjects*, 1994）。美や道徳と結び付いたときは褒めそやされ、求められ、崇拝の対象とさえなる「女」という存在は、反面、その意志の弱さゆえ、よからぬものの誘惑に開かれ、その身体も穢れやすいという原イメージが存在してきた（旧約聖書『創世記』のイヴはその祖型）。『フランケンシュタイン』は、そのような作為的見解に対する女たちの応答を髣髴とさせるテクストだ。文学や芸術は、ある時空の想念を別の形に置き換えた、いわゆる「表象」の集積でもある。この場合われわれは、生殖に対する女性の心象や情念が、言語に置換され、織りなされた物語を目撃できるということである。

そのような「読み」を意識的に進めたのが、**フェミニズム文学批評**である。1960年代後半、現代フェミニズムの土台である「第二波フェミニズム」が始まるが、この運動は、社会が作った「女」の意味を、女性個人の感覚から問い直した。前述のように、出産を女性の本質と置く思潮はなお健在だったが、その意義が男性中心の家族＝社会制度、すなわち**家父長制度**の便宜に利用されているという批判意識の高まりは、「性と生殖における自己決定権《リプロダクティヴ・ライツ》」の獲得という目標を導いた。それを唱道した「ウーマンリブ運動」は、女性であることを根本的（ラディカル）に見直そうとする姿勢ゆえに際立っていたが、フェミニズム文学批評もその流れの一角で、機動的な表象分析と女性作家の掘り起こしを推進した。その先鞭をつけた米国の批評家、エレイン・ショウォールターも、『フランケンシュタイン』には、男の科学が女に負わせた否定性への抵抗と、再生産機能を単純には喜べない、生身の葛藤と困惑を読み取っていた（『姉妹の選択』、1991）。

ただし、この点を本章のテーマ、「欲望」に即して広げるならば、女を排除し、模倣的出産に失敗する科学者を描くこの物語は、彼に批判的ではあれ、「女ならうまくできる」というような、ジェンダー的承認の枠には収まらないということに気づく。女性原理の不可侵性を主張するより、醜い怪物が「なぜ自分を産んだ」と親をなじるなど、承認の物語には余計でしかない副産物——産みのおぞましさと赤子のおそるべき自律性——を前景化するのがこの作品のプロットなのだ。女性作家の情念や主観が紡いだはずのこの物語は、しかし、女の自我では完結せず、子という他者の欲望をこそ目に見えるものにしているのである。

フェミニズムやジェンダー批評の発展を常識的に解説すれば、「産む性」、そして「母性」や「家庭」、「主婦」という一連のテーマは、家父長制批判のための不可欠な争点であった一方、80年代に入るとその保守性が強調され、視野が狭く、時代遅れと考えられるようになった。確かに、家父長主義に加担しているとも考えられる母という人の利害や、家庭からの解放を願う主婦の欲求をことさらに、ジェンダーの普遍的課題として一元化すれば、そうした性役割から除外されてきたマイノリティの糾弾を受けるのは必至であった。

まず、そもそも専業主婦の地位や、自身の子育てをまっとうする機会を奪われてきた労働者や有色人種の女性たちは、「母」の問いを離れられないジェンダー批評の、白人中産階級中心主義を弾劾した。黒人女性が主導したことから「ブラック・フェミニズム」とも呼ばれるこの思潮は、ジェンダーの抑圧は、階級や人種、地域やセクシュアリティ（性的指向）など、多様な因子の交差性（インターセクショナリティ）のもとに発生すると説き、いまでは主流となっているジェンダー正義の考え方を先駆的に打ち立てた。また、もっぱらセクシュアリティを問題化してきた同性愛者は、生物学的自然として、疑いえない事実であると捉えられてきた「男・女」という性別が、実は自然ではなく「異性愛規範」、つまり、生殖しない性関係をはなから禁止した分類法によるフィクションであり、性とはそもそも二分化するなど不可能な、多数的現象だと主張した。ちなみに再生産を無批判に女性原理と置く類のフェミニズムが、産まない（産めない）女に無頓着な枠組みであるのはいうまでもない。

だが、シェリーの物語から紐解きなおすと、ジェンダー化された「産む」という人間の機構への関心は、単なる保守主義や本質主義とは片付けられないことがわかる。それは身体そのものに内在する法外さ——異質性、偶然性——をコントロールするための、文明や文化、制度に対する批判意識の賜物なのだ。果たして「女」とは、その御しがたい現実の引き受け手として捏造された観念ではなかったか。感傷性で彩られつつ、汚れ役でこそある「母」の形象の解体は、人種やセクシュアリティという差異なくしては、ジェンダーもないという状況に光をあてる。つまり、ジェンダーという枷を必要とするわれわれの社会は、ほかにも多様な属性から、無限かつ輻輳的に、個体を位階化する社会である。奇しくもフランケンシュタインは、おのれの被造物の醜さを嘆く際、「黄色い肌」、つまり人種の記号を使う。その事実への責任に決して思いいたることのないこの男の自己感覚を、おそらく作家は批判を込めて描いている。

ジェンダーの抑圧と人種の排除——この問題を追及したブラック・フェミニズムの名高い成果は、奴隷制時代の黒人女性がいかに「母」とはなり得なかったか、その問題性を詳述した。同論文、ホーテンス・スピラーズによる「母の子でも父はわからず」(“Mama's Baby, Papa's Maybe”, 1987) は、黒人奴隷の再生産を、人間の出産から切り離して管理してきた米国の人種イデオロギーとジェンダー支配の交差性を論証したが、彼女の議論は、「母」という文化本位の言説が、出産という身体の営みを恣意的に分轄し、黒人女性を女性というカテゴリーから排除してきた政策が、いかなる論理に基づいていたかを解明している。

1865年まで黒人奴隷制を敷いていた米国は、「母系出自」という原則を考案し、奴隷の子を市民から峻別していた。奴隷所有者の家庭では、白人主人の奴隷女性への強姦を介した混血児の再生産が横行したが、この法的原則があることで、仮に父親は白人であっても、黒人女性の腹から産まれた子の認知は免れていた。さらに女性が奴隷である以上、その子らは人間外として扱われ、家畜同様、自由に売買され得たのである。奴隷制下、白人は黒人を忌み嫌い、公的に差別していたにも拘らず、家庭内では一転、黒人の性と密着し、それへの搾取を常態としていた。この状況は、**奴隷制廃止論**の争点ともなっていたが、スピラーズはこのシステムを、いかに黒人を家政に取り込もうが、彼らを親密な同胞とは見なさずに済むための、米国特有の「国家装置」として批判した。

人間の生殖を、「母」という形象で意味づけることで、女に対し、家父長的な価値観に基づく承認を与えていた文化的言説も、「黒人女性」は表象の体系から排斥していた。いうなれば、黒人女性はジェンダーさえも奪われて、だからこそ「繁殖」を強いられつつ、人種の秩序を脅かさない都合のよい存在として、承認のエコノミーの埒外に置かれてきた。ジェンダー的承認の、このように欺瞞的な裏側を暴露したスピラーズをはじめとするブラック・フェミニストは、しかし、この承認システムへの加入を目指したわけではない。むしろ、主流文化の外側に構成した肉親以外の人々からなる親密圏の構築が、黒人女性の生存戦略であったことを証言した。そのうえで彼女たちは、女性ジェンダーとして生きることを認められた従属的な主体とともに、いつ殺されても構わない――ジョルジョ・アガンベンのいう「ホモ・サケル」にあたる――「黒人」という人種を作った、国家装置の正統性に疑義を投じた。

スピラーズは、人種という変数から射程を変えるジェンダーの恣意性を手掛かりに、性と生殖の断層線を看破したということができる。これに加え、ジェンダーが生殖から自然化され、あたかも人の宿命であるかに規範化された場合には、異性愛を、唯一正常なセクシュアリティとするイデオロギー（アドリエンヌ・リッチはこれを「強制的異性愛」と呼んだ）が、他の生存様式を抑圧するという権力作用を発動する。この作用が、われわれの倫理観や政治意識までをも広く拘束しているという問題に、より挑戦的な角度から斬り込んだのがクィア批評である。

クィアとは異性愛に対置される性自認のひとつである。もとは同性愛者への侮蔑語（変態）であったこの名辞には、同性愛が、異性愛の対概念として硬直化するのをよしとしない政治的意図が込もっている。この認識に立脚するクィア理論は、性的あり方の多様性を提示するにとどまらず、社会秩序のうちに再生産される同性愛嫌悪と異性愛至上主義の複合体（ヘテロセクシズム）を指摘するなど、性が社会の秩序維持に動員されるさまざまな状況を批判して、その経路からの脱出の方途を、生殖しない性交の実践に見出そうと試みた（例えばレオ・ベルサーニ）。

2004年の『未来なし』（*No Future*）出版後、この思潮の牽引役と目されているのは、米国の批評家、リー・エーデルマンだ。彼は、常に未来のために紡がれている社会への展望は、たとえそれが、性的指向への寛容性を課題としている、つまり生殖しない関係の承認を目論んでいる場合でさえも、次世代の再生産を前提としてしまっているという知の袋小路を追及する。つまり政治参加とは、社会を引き継ぐ「子供」を肯定することであり、その「再生産的未来主義」がある以上、性的自由は社会の目的とはなり得ないと彼はいうのだ。この指摘は、近年進んだかに見えていた性的多様性への政策が、その実、同性婚や生殖医療に包摂されていった状況への失望とも連動している。よって彼は、社会の維持を目指さない（反社会的転回）という純然たる否定性《ネガティヴィティ》こそ、クィア理論が目指すべき方向（クィアな否定性）であると説いたのである。

欲望の迷走性と多形性

性と生殖の接合を、論理上不可避とした社会を断念することを勧めるエーデルマンの構想は、革新的だといえるだろう。現存の社会を、子供たちのために残そうという言説には、自己の永続性への執着が透視できるという。彼は畢竟、知らずのうちにわれわれの自己保存の支柱と化している未来ではなく、どんな目標にも同一化せず、どんな高邁なヴィジョンにも昇華されない「死の欲動」に身を任せることこそが、クィアというあり方の存在意義を真に活かすと結論する。再生産を是とする制度と無分節に結託する、生存や持続理念の否定性であり続けること。いかなる制度にも動員されない人間の性の可能性は、そのうえにこそ開かれるという展望がここにはある。

死の欲動とは、ジグムント・フロイトが、「快感原則の彼岸」などで説いた心的機制だ。冒頭に紹介したスピノザに似て、精神分析でも、人は原則的に恒常性、つまり自己保存に導かれ、消滅に抗いつつ生きているとされている。だが同時にフロイトは、人の心が快や安定を得るためのプロセスとは矛盾する、自我を断片化し、おのれを破壊に導くような、保存とは逆の心理にいたる傾向を認めていた。死の欲動（主体を満足に向かわせる衝動）とは、この傾向のことである。症状としては、幻想としてしか全体性や同一性をもち得ない人間が、あらかじめ失われた全体性を遡求して、生まれる前の、自己が溶解する消失点、あるいは母と自他未分化であった領域に、回帰しようとする動きであると説明される。つまり統合や同一化、発達の逆コースで自己を追体験するアイロニーが、死の欲動といえるだろう。

こう見るとエーデルマンの思想とは、いわば個人の欲望を、承認の物語から徹底して切離すという意匠をもっていることがわかる。未来ではなく死を、持続的社会ではなく反社会を、政治参加ではなく非再生産的享楽（性的快楽など、自己の欠如を補う充足感）を選択せよという呼びかけは過激に聞こえ、事実この提言は多大な論争を惹き起こした。しかし詰まるところ、さまざまに対象を変えて転変している、いわば歴史的であるはずの人間の欲望を、生殖神話に固定するなという彼の主旨は、フェミニストが家父長主義へ行ってきた異議申し立てと、そう遠くはないのである。

例えば彼は、米国でしばしば国論を二分してきた政治的争点、人工妊娠中絶をめぐり、以下のように論じている。「ここでいう選択《チョイス》がなんの意味をもなさないのは、われわれ自身の未来を子供という特権的形式に取り込む強制が、支配的かつただ一つの命法となっていることによる。だからわれわれの想像界における自己同一化の諸契機は、もれなく子を孕むことへの強制となり、妊娠は、象徴界に生じた欠如を埋める意味をも帯びることになるのである」(*No Future* 15)。この主張ならば、より抵抗なく受け入れられるはずである。そしてこの見立てには、往年のフェミニストが訴えてきた「女を子産み道具にするな」という問題意識が、重なることもわかるだろう。ただし、前段でそう遠くはないと断ったように、二つの立場にはある厳然とした違いがある。

まずフェミニストは、エーデルマンが示唆するように、中絶の選択権は身ごもった女にあるとした。「産む、産まないは私が決める」というウーマンリブのスローガンが、この文脈には交差している。しかし、クィア代表の彼にすれば、中絶や産まないことを求めようとする運動はすでに、女、あるいは人は産むものだとする命法に侵されている。だから、その次元で「選択」を語っても意味はなく、左派(リベラル)の制度批判が織りなす政治も、根本的には右派(保守)と同じと断言するのだ。この二者(そしてフェミニスト)がもろともにおちいる再生産的未来主義を掘り崩すことができるのは、それに抗う政治的主体の構築ではなく、「主体の埋葬」、すなわち主体を放棄した他者性として、制度的主体の自我に入った亀裂のような立場から、それを脅かし続けることだ――これが「反社会」のシナリオである。

すると「死の欲動」という不穏な言葉も、字義通りの「自滅」ではないことが腑に落ちてくるだろう。子供という象徴が支配する「主体」の磁場を逃れようとする戦略は、つまり人間的な秩序の外へ反復的な退行を企てる、精神分析が想定した心的機制と合致したのだ。このように、主体化とは別のモデルでヘテロセクシズムを暴露しつつ、セクシュアリティの多形性の理論化を目指す試みが、おそらく今日のジェンダー論の最先端に位置している。そして、90年以来、この系譜のあらゆる理論のパラメーターとなっているのが、ジュディス・バトラーが『ジェンダー・トラブル』(1990)で提示した、「パフォーマティヴィティ」(行為遂行性)という概念だ。

この概念から、バトラーは、われわれの性は生まれ持った自然ではなく、社会を支配する性規範がイメージ化する女や男の形象の、反復的な引用と模倣が間断なく行われることで生じている効果であると説明した。すると、「主体」に代わるメカニズムを探求したバトラーとエーデルマンは、ともに反復性に注目したということになる。バトラーはさらに、規範の命ずる異性愛に、行為遂行的《パフォーマティヴ》に従った個体は、それ以外のセクシュアリティの可能性を、無意識の中に、失われた他者性として囲うという、「ホモセクシュアル・メランコリー」の筋書きを措定した。このメランコリーに別の発想から逢着して生まれたのが、エーデルマンの「クィアな否定性」と考えることも可能なように感じられる。

再生産的未来主義批判の優れた点は、人の性の発現を尺度としてフロイトが理論化した「欲望」に、本来見出されていた迷走性や多形性を、最も制度化された性=再生産を解体する原理として、呼び戻したところにある。性から概念化された欲望は、個々の身体におけるその発現の無規則性を特徴づけるものとなろう。本章は、自己確証というヘーゲル的な欲望のモデルを確認することから始まった。果たして、主体化の物語に一本化されない欲望というものを見極めるためには、精神分析が観察してきた**性欲望**や**性愛**、そして**性幻想**の動きを知ることが必要となる。

ただしこのような欲望への斬り込みは、クィア批評に始まったというわけではない。70年代、女の性が帯びる差異とその未定形な欲望を初めて理論化したのは、ラカンへの応答を核に形成されたフランス系フェミニズムだった（リュス・イリガライ『ひとつではない女の性』、1977など）。またクィア批評は、主体という物語から排除された領域の考察には優れるが、内面の原理の解明という、精神分析ゆずりの射程に組み込まれた限界ゆえに、歴史性の考慮が弱いという欠点を抱えている。人間的欲望の多形性や果てしなさは、歴史が作った特殊な状況だという面も忘れてはならない。社会的に機能するジェンダーの考究の初動において、文化的に忌み嫌われ、選択的に切り捨てられた身体性や生態を、それが拠って立つ歴史ごと回復したブラック・フェミニズムの仕事の価値が、ここに明らかとなるだろう。人間の物語の外部に括り出されてきた「否定性」が照らす欲望をひとたび知れば、社会に対する認識の枠組みを客観的に把捉する道も、開けてくるのではなかろうか。

▼用語解説

同性愛とクィア

英語におけるクィア（queer）という語は、「起源がはっきりしない」ことを指す形容詞として、16世紀に使われ始めた。もとはドイツ語からの借用語だが、この意味が転じて、19世紀には「珍しいもの」、さらには侮蔑の込もった「同性愛者」という意味を帯びる。よって現代、同性愛者の意味で「クィア」が用いられる場合があるが、それはもっぱら当事者が、偏見を帯びてしまった言葉の意味をリセットするため、あえてこの語を肯定的に、みずからの性自認として、引き受けていることを示している。

ちなみに現在、男と女に二分化された性別を、セクシュアリティの多様性から解きほぐし、「LGBTQ」として再構築した性自認の社会的認知が高まっている。それぞれレズビアン（女性同性愛者）、ゲイ（男性同性愛者）、バイセクシュアル（両性愛者）、トランスジェンダー（身体的性徴と性別の実感が不一致な人）、クィアを指すが、実はクィアという概念は、他の四つとはやや異質で、むしろ、性をアイデンティティと捉えることへの懐疑のうえに成立している。つまり、性の流動性や不可知性への認知を獲得することが、クィアの掲げる目標であり、性的マイノリティとしての承認を得たり、同性愛者の地位を異性愛なみに高めたりすることが、彼らの目的なのではない。

主体性の獲得とは違う方法で、人間の自由を模索するクィア理論の試みも、この姿勢に基づいている。この立場の思想的土台は、フランスの哲学者、ミシェル・フーコーの仕事である。フーコーは、人の身体と生命を管理する権力は、個々人に自分の性を語らせることで、性の逸脱をみずから律し、規範に従う主体を作る仕組みを有しているとした。すると、われわれが自分の性を言明すれば、こちらを管理してこようとする制度の術にはまることにもなるのである。ゆえに、性を同一性に閉じ込めないクィアという選択は、制度の虚を衝く抵抗の途を開く実践ともなりうるのである。

ミソジニーと家父長制度

家父長制度（父権制）とは、婚姻関係にある異性愛の男女とその子供からなる「核家族」を基盤とした社会制度である。近代社会は個々人に対し、そのライフコースの適切な時期に、核家族の形成——つまり婚姻し、生殖すること——を、「社会人としての義務」として命じてきた。統治権力として働くこの制度は、この枠組みにそぐわない生のあり方を異端視し、労働生産と子の再生産をおこなうべきものとしての、市民の生を管理してきた。つまり家父長制度は、その基底において、生殖しない同性愛者を排斥するヘテロセクシズムに立脚し、かつ、結婚しない男女を未熟者と、経済力のない男を落伍者と、妻や母の役割を果たさない女を性悪と呼ぶなどしておとしめながら、ジェンダー社会の規律を形成してきた。

また、男女の性役割分業に基づき、男だけに公的正統性を措定する家父長制は、男性本位に固定化された役割の範囲内で女を有効活用しつつ、根本においては、女をさげすんでよい存在として規定してきた。これをミソジニー（女性嫌悪）と称するが、上野千鶴子の定義によれば、「男が男であるために（劣等な）女でないことを証明するための（女を他者化する）機制」となる（『女ぎらい』、2011）。

家父長制が異性愛関係をあてにして作られている以上、その維持には女の協力（共犯）が不可欠だ。それは、男の主体感覚を脅かさず、その性の相手としてだけ歓心を買うことに専念する、つまり、女が男に自己客体化（常に自分を男の目で見、自己の価値づけを行うこと）する心性を作ることで遂げられる。また、イヴ・セジウィックは、家父長制の再生産を下支えする仕組みには、異性愛男性からなる社会的な特権集団（ホモソーシャリティ）が、ミソジニーと男性同性愛嫌悪（ホモフォビア）というイデオロギーで、女と男性同性愛者を排除し続け、その劣位を社会に刻みつける機能があると説明した（『男同士の絆』、1985）。

フェミニズム文学批評

フェミニズム文学批評を最も明示的に制度化した米国で、その嚆矢となったのは、ケイト・ミレットの『性の政治学』（1970）であった。これはいわば、ラディカル・フェミニズムのスローガン、「個人的なことは政治的なこと」に基づいた実践である。「読み」という主観的なテクストへの働きかけは、作者が位置する社会におけるジェンダー体制の問題を、露出させる行為となった。ミレットはこの「読み」から、男性作家の女性描写が、いかに実世界の家父長制的権力を映しているかを論証した。

以後、この着想を男性作家の批判ではなく、女性作家の可視化に活かす試みが現れた。女性批評家が、女性文学の伝統を明るみにだすことで、一種の時空を超えた連帯《シスターフッド》を創ろうというヴィジョンも生起した。ショウォールターはこの流れを、古代ギリシャ語における「女」の単数主格形、ギュネー（γυνή）にちなみ、「ガイノクリティシズム」と命名し、女の創造性を虚心に解明した。しかし、テクスト読解や現象分析には優れた批判性を発揮したこの潮流も、「女」の主体性にこだわったため、ジェンダーの形成そのものを問う学問の根幹にまで影響を及ぼすことはなかった。フランスの論客から学ぶまで、（英米の）フェミニズムには、理論がなかったというのが定説であり、ショウォールターでさえその分野を、「理論の荒野」と呼んでいた。

　フランス系フェミニズムは、精神分析理論が依拠した男性中心の人間モデルを解体し、その言説に女の位置を回復しつつ、人間心理は言語を介して、いかにジェンダーを取り込むのかという問題に取り組んだ。だがその思弁性と抽象性から、影響力はもっぱらアカデミズムに限られていた。そうした成果を、アメリカ的な実践面、つまり、人の日頃のジェンダー経験と接合したのがバトラーである。彼女の理論は、われわれの漫然とした性自認や身体感覚を揺さぶるような、稀有な次元に理論を開いた。

奴隷制廃止論

　帝国主義に呼応し17世紀後半以降西洋世界に広がった、アフリカ系奴隷の解放を目指す政治的立場。18世紀に、大西洋の奴隷貿易とアメリカ大陸の奴隷制撤廃を目指す超国家規模の運動となった。南北戦争（1861－65）で南部農本体制が崩壊するまで、最大の奴隷制国家であった米国では、自由を重んじるロマン主義思想を醸成した超絶主義者やクェーカー教徒、逃亡奴隷などが運動を担った。また、逃亡奴隷がみずからの体験を綴った「奴隷体験記」は、黒人による英語文学の先鞭をつけたほか、第一派フェミニズムの勃興とも連動し、女権運動や婦人参政権運動と競合しながら展開した。

女権運動家には、その政治的キャリアを奴隷制廃止論者として開始した者が多数いた。例えば、スタントン（Elizabeth Cady Stanton）やモット（Lucretia Mott）をセネカ・フォールズで決起させた原因には、1840年、ロンドンで行われた「国際反奴隷制大会」への出席を試みた彼女たちが、女であるという理由によって会議から締め出された経験があった。ちなみに1851年、オハイオ州アクロンで開かれた「女性の権利会議」では、元奴隷の黒人女性活動家、トゥルース（Sojourner Truth）が、名高い演説「私は女ではないのか？」を行なった際、今度は人種的理由から、数々の妨害を受けるにいたった。以後トゥルースは、ブラック・フェミニストの草分けとして認知されたが、正義や平等を目指したフェミニズム運動や奴隷解放運動にも、差別や偏見が散見され、そのことが両運動を紛糾させた。

黒人奴隷の解放を目指した（白人）運動家のうち、実際に彼らの人権を信じた者は少数派だった。南部の奴隷農園で行われる人種混交（異人種婚＝miscegenation）と混血児の増加を恐れた者は、白人の純潔性を守るため、奴隷を解放したのちにアフリカに返したり、中南米に植民させたりすることを目論んだ。『アンクル・トムの小屋』（1852）の著者であり、フェミニストとしても知られていたハリエット・ビーチャー・ストウでさえ、その説を支持していた。

性欲望・性愛・性幻想

性をアイデンティティから切り離して考えるジェンダー理論は、従来疑い得ないとされてきた生物学的性、つまりセックス（性徴）の物質性を疑うことを起点とした。そもそもセックスは、生まれた子にペニスがあるか否かを目視するだけという、極めてずさんな決められ方をしているものだ。にも拘らず、男女はその区分から、階層的な秩序に置かれ、この二つ以外の性徴は名づけられてもいなかった。だが、家父長制が整序したジェンダー観は極めて堅固で、人が心的に発達し、社会秩序のもとに生きる道筋を理論化したフロイトでさえ、エディプス・コンプレックスという家父長家族の物語を、精神分析の枠組みとしていた。そのため、彼の説明にはそもそも女が存在しない。あるのは男と不完全な男（ペニスを持っていない者）のみ。つまり女は、常に男の枠で語られる。

この問題を指摘したのは、フランス系フェミニストであるが、ひとたび家父長制的エディプス・モデルが解体すると、異性愛に基礎づけられた性愛の前提も崩壊する。よって理論は、人の性が指向するもの（欲望）、性的な満足を得る対象、愛の多形性などを、盛んに探究するようになった。そもそも赤子は、毛布の端など多様なものに固着する。そこに愛やセクシュアリティの原型を見ることができるのだ。

フーコーは、多様な性の肯定は、「形をもたぬ関係を、AからZまで発明すること」であるとした（『同性愛と生存の美学』、1987）。事実、性愛や性幻想の未定形性、さらには従来軽視されてきた関係性から、新たな人間観を開いた成果は多い。

異性や同性との恋だけでなく、母娘関係（竹村和子『愛について』、2002）や、異性愛に縛られてきた女自身の、そして人種社会で傷ついてきた黒人女性の「自体愛」という概念（イリガライ『ひとつではない女の性』、ベル・フックス『フェミニズム理論』、1984）の探究も、ジェンダー批評を豊かにしてきた。

もっと〈欲望〉について知るための10冊

メアリー・シェリー『フランケンシュタイン』芹澤恵訳、新潮文庫、2014年。

E（エレイン）・ショウォールター『姉妹の選択　アメリカ女性文学の伝統と変化』佐藤宏子訳、みすず書房、1996年。

レオ・ベルサーニ、アダム・フィリップス『親密性』檜垣立哉・宮澤由歌訳、洛北出版、2012年。

ジュディス・バトラー『ジェンダー・トラブル　フェミニズムとアイデンティティの攪乱』竹村和子訳、青土社、2018年。

リュス・イリガライ『ひとつではない女の性』棚沢直子・中嶋公子・小野ゆり子訳、勁草書房、1987年。

上野千鶴子『女ぎらい　ニッポンのミソジニー』朝日文庫、2018年。

イヴ・K・セジウィック『男同士の絆　イギリス文学とホモソーシャルな欲望』上原早苗・亀澤美由紀訳、名古屋大学出版会、2001年。

竹村和子『愛について　アイデンティティと欲望の政治学』岩波書店、2002年。

ベル・フックス『ベル・フックスの「フェミニズム理論」　周辺から中心へ』野﨑佐和・毛塚翠訳、あけび書房、2017年。

『思想』第1141（2019年5月）号（特集「生殖／子ども」）、岩波書店、2019年4月。

第5章

世界

執筆―鵜戸聡

海外文学を読むとはどういうことか

文学を読むという行為について、わたしたちはどのように考えているのだろうか。

かつて、「われわれはどのような世界を生きているのか」「人間が生きるとはどういうことなのか」といった大きな問いとともに文学が読まれた時代があった。不特定多数の読者に開かれている文学に対してそのような問いかけがなされたのは、なにかしら大きな物語を同時代の人間が共有していると信じられていたからなのかもしれない。確かに小説というジャンルは、近代国家の形成に伴走しつつ、時に「国民作家」を生み、時に「発禁処分」を受けるなど、ネーションの批判的な共犯者として成長を遂げてきた。その機制を『日本近代文学の起源』（1980）に暴き出した批評家の柄谷行人は、のちにはしかし、現代における「近代文学の終り」（『柄谷行人講演集成　1955－2015』ちくま学芸文庫、2017［2004］年、29－71頁）を宣告することにもなる。

社会と文学の関係性も大きく変化し、いまや小説を読む際に、漠然たる「読書の楽しみ」以上のものを求めることの方が稀なのかもしれない。いや、むしろ文学を読む人自身が、その目的に無自覚になってきているというべきだろうか。とはいえ、文学をただそれだけでよしとする自己充足的な権威が失墜したいまだからこそ、テクストとその外部との連続性はかえって重要性を増しているともいえそうだ。物語の背景を自明視してしまうのを避けるため、ひとまず自分の属するネーションから少し距離をおいて、あえてここでは「海外文学を読むとはどういうことか」という問いを発してみたい。

もともと海外文学のファンでなくとも、もしあなたにときどき日本の小説を読む習慣があるのなら、例えば観光旅行の思い出から台湾やフランスの小説を手に取ったり、インターネットで話題の韓国の小説が気になったり、本屋で見かけたチベットの小説を興味本位でめくってみたりすることもあるだろう。仕事でタイやインドネシアに出張することが多いなら、ひとつ御当地の小説でも読んでみようか、という気になるかもしれない。

そこであなたの気を惹くのは、旅の記憶をよみがえらせつつ現地の知識を深めたり、話題の海外事情に触れてみたりすることで、あるいは未知の国におぼろげな興味を持ったり、慣れ親しんだ外国の見知らぬ作家が何を考えているのかふと気になったりしたのかもしれない。

それは日常世界の外へ少しだけ足を踏み出して、いつもとは違う世界を覗いてみる小さな冒険だ。

こういったとき、わたしたちが無意識に前提としているのは、外国には自国とは違う社会があり、つまりは文化的慣習（エートス）が同じではなく、そこに生きる人々は自分たちとは少し異なる常識を持っているだろうという予想である。その一方で、同じ人間である以上かれらをまったく理解できないことはないとも予感しているはずだ。ささやかな未知との遭遇（エグゾティスム）が期待されているともいえるだろう（どの程度の未知と既知のバランスを望んでいるかによって、アメリカの小説を手に取るか、それともイランの詩集をめくってみるか、選択の基準も変わってくる）。とりわけ海外小説というジャンルのテクストには、外国の社会常識やそこに生きる人々の内面が描かれているだろう、とも予期しているのではないだろうか。

さて、あなたがいま書店で手に取った本は、もともとはいつ書かれたものなのか。作家はどのような人物で（名前からは性別も判らないかもしれない）、現地ではどのように読まれているのか。そもそも何語で書かれ、何語から日本語へ翻訳されたのか。内容以前にわからないことを確認するために、「あとがき」から読む人も少なくないだろう。「作者の死」どころか「作者未生」以前の状態で眠っているテクストに出逢うための契機は、逆説的ながら作者のローカリティにも依拠している（大型書店の海外文学の棚は各国別に分類されているではないか）。

近代的個の登場

例えばそれがプラムディャ・アナンタ・トゥールの『人間の大地』（1980）なら、オランダ植民地時代のインドネシアに生まれたジャワ人作家が、政治犯としてブル島に投獄されていた際に囚人仲間に物語った小説で（**オラリティ**）、ひと連なりの作品世界を形成する「ブル島四部作」の第一部に相当する。主人公ミンケはジャワ島の「プリブミ」（原住民）ながらオランダ式の高等学校に通うエリートで、作中ではオランダ語やジャワ語あるいはマライ語を話しているようだが、小説自体は独立後に**国語**と定められたインドネシア語で書かれており、すでにこの時点で翻訳がなされているともいえるだろう。

なお、この作品は出版されるや数ヵ月で4万部を売り、読書界に空前絶後の熱狂を呼び起こした結果、その影響力を恐れたスハルト政権下の検閲で発禁とされ、インドネシア国内での**流通**は長らく規制されていたのだが、こういった現地事情のようなものは翻訳者の押川典昭氏による詳しい注釈や解題（**パラテクスト**）によって知ることができる。翻訳者が長めの文章を「あとがき」に付す、というのはかなり独特な日本の出版習慣だが、一種の教育的配慮を読者の方も期待している節があるのではないだろうか。少し引用してみよう。

この四部作の舞台となった一八九八年から一九一八年という時代は、オランダの植民地支配下でインドネシア民族が民族的覚醒を遂げていく時代として、栄光とある種のノスタルジーをもってインドネシア現代史の巻頭に位置づけられる時代である。［…］あるいはインドネシア民族が世界史のなかでの自己の位置を模索していく時代の始まり、といってもよい。通信および鉄道網の拡大、近代的な印刷術や写真の普及、各種中・高等教育機関の整備、等はその新時代を醸生する外的物質的な条件であり、［…］新時代をもっともよく象徴するのは、ミンケにおいてみられるような「近代的個」の登場であり、これはやがてインドネシア人が民族としての自己を発見していく新しい民族の旅、民族解放への遙かな旅につながっていく。

これまでこの時代を扱った小説がインドネシアに皆無というわけではないが、［…］個人と社会と権力の問題、つまりは歴史を総体としてその襞の一枚一枚に至るまでを対象化しようとする意志につらぬかれた文学作品は、このプラムディヤの小説が初めてである。

（プラムディヤ・アナンタ・トゥール『人間の大地』下巻、押川典昭訳、めこん、1986年、329－330頁）

ここで手際よく紹介されているのは作品世界を支えている外的条件、すなわちある年代における技術や教育あるいは文化の近代化の様相であり、また政治史上の一段階としての時代の評価である。そこに、小説の中で語られるべき内面を持った「近代的個」が登場してくる。ナショナリズムに目覚めていく若者の眼を通してインドネシア近代史を描いたこの大河小説では、植民地からの独立を求め、人間は自由と尊厳を回復せねばならぬという世界観が明確に看て取れる。このような作品においてテクストの外部は決定的な重要性を持っているが、訳注を介して多少の背景知識を補うだけで理解可能な小説であることにも注意すべきだろう。むしろ読者は読書を通じて当時のインドネシアの歴史的文脈や人々の価値観といったものを学んでいくことになる（海外文学や歴史小説にこのような「効用」を求める読者も少なくないようだ）。そこには何かしら新しいもの、未知のものに接する驚きがあるはずだが、読者に先んじて驚きつつ発見し、その驚きをもって読者を驚かせるのはまずもって作中人物だ。近代小説の定番テーマである「恋愛」は、そのような驚きを語る内面を用意する。

家のなかに入った途端、私の警戒心は新しい雰囲気に圧倒され、いっぺんに消し飛んだ。われわれの前に、白く繊細な肌、ヨーロッパ人の顔立ち、プリブミの髪と眼をした、ひとりの少女が立っていたのだ。その輝く瞳は暁天の星、微笑む唇は信仰をも放棄させてしまうほど。もしスールホフの言わんとしたのがこの少女のことであれば、彼の言葉に間違いはない。女王陛下に遜色ないどころか、それ以上である。生きた血と肉、これはたんなる写真ではないのだ。

「アンネリース・メレマです」と彼女はまず私に、それからスールホフに手を差し出した。

彼女の唇から発せられた声は、生涯忘れられないほどの強い印象を私に与えた。（プラムディヤ・アナンタ・トゥール『人間の大地』上巻、押川典昭訳、めこん、1986年、25頁）

現代日本の読者にとってはちょっと大げさに過ぎるかもしれないが、高等学校に通う原住民エリート、ミンケ青年の驚きが長々と語られている。といってもヒロインの描写はかなり抽象的で、イメージを喚起するというよりは記号的だろうか。「ヨーロッパ人の顔立ち、プリブミの髪と眼」という容姿は彼女が「混血」である証拠であり、それ自体は美醜を論じていないが、「白く繊細な肌」とともに社会的な価値観とないまぜになった美的感覚が示唆されている。「ヨーロッパ人の顔立ち」には「オランダの貴婦人のように美しい」という含意もあるだろう。それゆえ、植民地帝国のヒエラルキーの頂点たる「ウィルヘルミナ女王」にアンネリースは重ね合わされる。遙か遠くから統治する女王の姿は「写真」という新しいメディアによって表象されているわけだが、視覚的な複製に対する「生きた血と肉」の現前にミンケは圧倒される。しかも、アンネリースは声を持った存在、男たちに眼差され語られるのみならず自分の意思をことばで伝えることのできる女性なのだ。

ちなみに「その輝く瞳は暁天の星、微笑む唇は信仰をも放棄させてしまうほど」という若干陳腐な詩的文句は、ミンケの文学的素養、彼の受けた教育を裏書きするものだろう。アンネリースの美しさは、むしろミンケの世界観やそれを表現することば（の不足）といった語り手の内面を映し出すことになるのだが、ここに前近代の物語との大きな違いがあるのかもしれない。例えば『アラビアンナイト』であれば、絶世の美女を一目見た若者はしばしば卒倒してしまう。そこにあるのは美に対する反応だけであって内面は存在しないのだ。

付言するなら、ミンケしかり『三四郎』しかり、西欧式の新しい教育を受け、「恋愛」を含め新しい価値を「発見」する主人公のほとんどは若い男であることにも注意すべきだろう。高等教育の普及により、田舎から都会へ、植民地から本国へ、という就学による青少年の移住が生じると、やがて「スカラーシップ・ボーイ」による階級上昇の物語も聞かれるようになる。フランス語圏の例だが、ともに1950年に発表されたジョゼフ・ゾベルの『黒人小屋通り』とムルド・フェラウン『貧者の息子』などは、それぞれカリブ海と北アフリカの貧しい少年が学校教育を経て社会的「成功」に向かう物語でもある。

さて、ミンケの未知との遭遇は、驚きから魅了を生じ、あるいは戸惑いをもたらすことになる。オランダ人植民者の「現地妻」(ニャイ)である、アンネリースの母の登場だ。

私は迷った。ヨーロッパ人女性に対するときのように、手を差し出すべきか。それともプリブミの女として彼女を扱うべき、つまり、構わずにおくべきか。ところが意外にも、手を差し出したのは彼女の方であった。私は面喰らって、ぎこちなく彼女の手を握った。これはプリブミの習慣ではない。ヨーロッパのやり方だ!　もしこういうことであれば、当然、私の方から先に手を差し出すべきであった。(前掲書、32―33頁)

どのように振るまうのが礼儀作法にかなうのか、という戸惑いは、わたしたちが異邦を訪れた際に体験するものでもある。「郷に入っては郷に従え」という諺は、外国で暮らす場合からよそのご家庭にお邪魔するときにまで使える便利な言葉だが、大袈裟にいえば、ここでいう「郷」には独自のエートスがあり、あるいは一つの世界観を有する単位として認められているということだ。しかもそれが国だったり、そのなかの一地域や社会集団だったりするということは、この「郷」は入れ子状の世界を構成していることにもなりそうだ。

文学作品というものもこれに似て、テクストは一個の自律した作品世界を構成しつつ、多層的な外部に取り囲まれてもいる。『人間の大地』は、インドネシア近代史の一齣を、あるいは世界史的な視野からナショナリズムの構築を描いているが、これをジャワの青年の恋物語と読むか、インドネシア国民の形成史と読むか、あるいはナショナリズムの世界史の一齣として読むのか、つまりどのレベルの「郷」において解釈するのかは読者に委ねられており、実際には複数のレベルが混在した読みがなされることだろう。また、作品の内部においても、ミンケは始め、プリブミ・エリートのエートス（混血の同級生からは好色なブパティ〈県長〉になるだろうと揶揄される）に抗いながらも、「プリブミの習慣」と「ヨーロッパのやり方」という二つのエートスを同時に生きているのだし、それらは「蘭領東インド」の植民地イデオロギーを内在化させた世界観のうちにあるのだ。植民地という「郷」を出て、世界史の大きな流れのなかで「人間の大地」という新たな「郷」を創出する物語ともいえるかもしれない。

話を戻そう。ニャイ・オントロソという例外的存在に戸惑いながらも、既知の世界の裂け目から垣間見た未知の世界にミンケは魅了されていく。

ニャイ・オントロソは奥のドアから部屋を出て行った。私は呪文にかかったようにまだ呆然としていた。それはたんに、プリブミの女がかくも見事なオランダ語を話したからではない。それ以上に、彼女が男の客に対していささかの引け目も感じていないのを知ったからだ。これから先どこで彼女のような女性にお目にかかれるだろう。どこの学校に彼女は通ったのだろうか。それに、このような女性がなぜ現地妻、妾に甘んじているのだろうか。ヨーロッパ人女性のように、彼女をかくも自由な女に教育したのは誰なのか？　私は、木造の禁断の宮殿が謎の城へと変わっていく思いだった。（前掲書、35頁）

驚きに満ちた謎の発見を契機に主人公の好奇心は物語の展開を促し、疑問を共有する読者にページをめくらせる動力ともなる。ニャイ・オントロソから新しい価値観を学び、買われた「現地妻」としての彼女の怒りに触れながら世界の矛盾を発見していくミンケにとって、アンネリースとの恋愛はモダニティの受容と並行して進行するものだが、同時にそれは植民地的近代への異議申し立てと表裏一体になっている。押川氏が「個人と社会と権力の問題、つまりは歴史を総体としてその襞の一枚一枚に至るまでを対象化しようとする意志につらぬかれた文学作品」と呼ぶように、『人間の大地』は「近代的個」として自己形成しつつある主人公を核にして植民地的世界観からの解放と国民国家としてのインドネシアの形成過程を世界史の大きなうねりのなかに物語るものなのだ。それは青年ミンケの自己形成をたどる教養小説（Bildungsroman）であると同時に生まれつつあるネーションの教養小説でもあり、国語たるインドネシア語で織り上げられたテクストそのものがまさに「インドネシア（人）」

という「想像の共同体」を現実に成立させている言説空間の重要な一部となっているのではないだろうか。テクストとその外部は相互に参照しあうインタラクティヴな関係を築いているのだ。

出版と流通をめぐって

さて、『人間の大地』が発禁であったことはすでに述べた。それではプラムディヤ・アナンタ・トゥールの「ブル島四部作」をインドネシア国民は読むことができなかったのだろうか。もちろんそんなことはありえない。国内で出版が許されていなくても、例えばマレーシア版を手に入れて読んだ人もいたようだ。インドネシア語とマレーシア語はともにマライ語(ムラユ語)を基にした言葉であり、言語的な差異はごくわずかであるため、翻訳を介さずに相互の書物を読むことができる。文学作品が作家の出身国で十分に流通しないという状況は世界的には珍しくないのだが、それは必ずしも検閲のみが原因ではない。

例えばアルジェリア文学の場合、植民地時代末期に誕生したフランス語作品は、独立後もパリで出版され続けたし、アルジェリア国内での流通はいまだに不十分だ。1950年代に頭角を現した一群の作家たちの1人カテブ・ヤシンは、自らの初期作品について「アルジェリアはフランスではないとフランス人に言うためにフランス語で書いた」と挑発的な物言いをしているが、そもそも当時のアルジェリアの識字率は1割に満たないとも言われており、実質的な読者として想定しうるのはまずもってフランス人だった。1962年に独立した後も、社会主義体制下で国家が出版・流通を独占し、フランスで出版されたアルジェリア文学の逆輸入も不十分かつ高価なものだった。教育の普及で識字率は飛躍的に向上したものの、国外に出て初めてアルジェリア文学を「発見」したというアルジェリア人読者は少なくない。内戦状態にあった90年代は多くの作家がフランスに避難することになったので、アルジェリア文学自体がフランスに亡命していたようなものだ。2000年代に入ってから新しい出版社が増え、国内出版が盛んになり、フランスの出版社と特別な契約を結んで安価なアルジェリア版書籍を出版できるように努めているが、書籍の流通にはなお大きな課題を抱えている。他のアラブ諸国同様、年に一度の書籍見本市が本を買うための貴重な機会となっているほか、作家と出版社が自らトラックに書物を積んで地方に売りにいくというキャラバン隊を組織したりもしている。

アルジェリア文学であれ、プラムディヤ・アナンタ・トゥールの小説であれ、多くの国民にとっての非母語（フランス語・インドネシア語）で書かれ、しかも自国での流通に難があって、言語を共有する隣国に預け置かれていたというのは興味深い事象である。文字とは記憶媒体であり、書かれた文学も時を越えて残るものだが、あたかも外部記憶装置のように、外の世界に保存され、後になって人々が再発見するような出来事としても文学を捉えることができるかもしれない。

アラビア語文学についても触れておこう。アラビア語書籍の出版伝統はエジプトのカイロとレバノンのベイルートがほぼ独占的に担ってきた。各国での出版が増えてきた現在にあっても「アラビア語世界」全体に流通させるにはこの二大センターを介する必要がある。近年では、例えばモロッコの出版社が国内版を出版するとともにレバノンの出版社と契約してベイルートでも国際版を出版するといった事例も見受けられるが、自国よりも外国に多くの読者を持つアラビア語作家は少なくないだろう。アラブ圏であれば翻訳を介する必要もない。東京が出版のほとんどを独占し、全国津々浦々に配本する流通網を確立し、唯一の国語である日本語の排他的地位を確保している日本が典型的な国民国家として夏目漱石のような「国民作家」を近代文学に持ったのとは事情が大きく異なっている。なにしろ、ノーベル文学賞によって現代アラブ文学で最も権威ある作家となったナギーブ・マフフーズですら、エジプト人以外にとっては外国人なのだから。文語アラビア語という、誰の母語でもないにもかかわらず、あらゆるアラブ人にとって自らの言葉である言語は、開かれていると同時に一国民が独占することのできないものなのである。書物の流通は、単に翻訳だけが問題ではなく、言語的・商業的・法的なネットワークが複雑に織り合わさって出来上がるシステムなのだが、例えば、翻訳で繋がる「**世界文学**」というイメージは大変美しいものの、このような流通の問題が十分に検討されているとは言いがたいようだ。

最後に最初の問いを振り返ってみよう。「海外文学を読むとはどういうことか」。国際的に著名なモロッコの文学者であるアブデルファッターハ・キリトーは、「人生のある時期においてムスタファー・ルトフィー・アル＝マンファルーティー［1876-1924］の影響を受け、彼の著作に恋し、それを読みながら大粒の涙を流さなかったアラブの読者は稀であろう」と述べているが（Abdelfattah Kilito, *Thou Shalt Not Speak My Language*, trans. By Wail S. Hassan. New York: Syracuse University Press. 2008, p. 3）、このエジプト人作家の読者は全アラブ世界に広がっているわけだ（ただ、同時代の読者よりも各国で識字率が向上した後世の読者の方が多いだろうが）。つまり、多くのアラビア語読者にとって、アラビア語はたった一つの自分の言葉でありながら、その作者は外国人なのである。果たしてこれは「海外文学」なのだろうか。しかも、このアラブの黒岩涙香ともいうべき作家は、外国語を一切知らずして（すなわち純粋なアラビア語を用いて）アレクサンドル・デュマやエドモン・ロスタンなどのフランス小説の翻案文学を大量に生み出したのだ。キリトーは彼のテクストに二つの問いを読み取っていく。すなわち「わたしはアラビア語しか知らず、アラブ散文の黄金時代の先駆者たちのやり方で書いているのに、誰がわたしをヨーロッパ中心主義で責められよう」という抗弁と「ヨーロッパを理解し、それに忠実であるために、わたしが最善を尽くしたことを一体誰が否定できよう」という弁解だ（*Ibid.* p.4）。自己の伝統に完璧に則ったエクリチュールでありながら、しかしその内容がまったく他者から汲み出されたものであるとき、それは「海外文学」なのだろうか。

必ずしも答えを出す必要はないだろうし、答えがあるとも限らない。しかし問いは様々に立てられ続けねばならない。文学理論とは、あくまで具体的な文学テクストとの格闘によって精緻化されてきたものであり、それが「読む」ことへの新たな問いを準備してきた。しかし、いったん理論が熟してしまったあと、それを機械的に適用して、あるいは適用しやすいテクストを無意識に取捨選択することにより、個別のテクストから受けるべき不断の挑戦を回避してしまった例も少なくない。そのような問うことに対する怠慢が、文学理論の退廃をもたらしたようにも思えるのだ。あらゆる理論は、新たなテクストの出現によって乗り越えられることを待っているはずだ。広い世界にそのような「例外」を探してみるのも文学の楽しみの一つではないだろうか。

▼用語解説

エートス・近代文学・エグゾティスム

もともと個人の習性や民族集団の心的態度を意味する「エートス」という用語は、人間の心理と行為が不即不離の関係にあり、しばしば社会的に構築されたものであるということを思い出させてくれる。加えて文学研究においては、「エートス」と呼び得るような思考の型はテクストへの習熟によっても再生産されてきたことを想起せねばならない。例えば齋藤希史は日本近世における漢文の普及が「士人的エトス」への志向——漢文の読み書きを通して士人の意識に同化すること——を用意したと言い、森鷗外の『舞姫』を「才子佳人小説」の流れを汲む「感傷小説」として論じている。そのような「感傷」から「恋愛」へと主題（トポス）の中心が移っていく過渡期、すなわち「近代文学」のとば口にあった『舞姫』を、柄谷行人は「三人称客観描写」に至る途上の語り手が消去（中性化）された一人称小説と捉え、現在の「余」から過去を回顧するパースペクティヴ（遠近法）を見出している。『舞姫』の雅文はこのような過去を指示する様々な文末詞とともに漢語を多用しているが、これらが留学体験を「写実的」に描くのにも効果を発揮していることは、『西国立志編』や『米欧回覧実記』といった西洋事情を紹介する訓読体の系譜とも無縁ではないだろう。高い造語力を備えた文体で未知の事柄を既知の文章構造に落とし込んでいく実践は、異文化の認識に言語の操作性が深く関わっていることをも示唆しているが、それがどの程度「多様なるもの」（セガレン）すなわち「自分自身でないもの」に対する感性としての「エグゾティスム」に向き合っているのかは慎重に吟味されねばならない問題だろう。

国語・オラリティ

「言文一致」運動が創出した口語的な新たな「文」は、出版資本主義の興隆と相まってネーションの形成に大きな役割を果たし、同時にネーションを媒介する「国語」として自らを整備した。「白話運動」と現代中国語の形成といった類例もあるが、国によっては必ずしも口語の延長線上に国語が成立したわけではない。例えば、口語（方言）と文語の乖離がはなはだしいアラビア語の場合、国語である「正則アラビア語」はむしろ文語の延長線上に整備され、そもそも日常生活で話される言語とはかけ離れている。会話文に口語が用いられることはあっても、小説言語は圧倒的に文語が優勢なのである。あるいは今まさに小説言語が創出される過程にあるチベット文学の場合も、古典語の延長線上にある書記体系に現代の口語を擦り合わせながら、例えば諺といったオーラルな伝統を新たな「文」の養分としているようだ。フランス語圏文学では、カリブの作家がクレオール語のリズムをフランス語に持ち込み、マグレブ（北アフリカ）の作家がベルベル語の言い回しを翻訳するような事例を見ることができるが、フランス語という強固な国語を前提とした身振りともいえそうだ。また、台湾人の大半の「母語」である「台湾語」は「教会ローマ字」（白話字）のような百年を超す書記伝統を有しながらも、これを読み書きする社会的環境はいまだ十分に整ってはいない（ただし「國語」と呼ばれる台湾華語もまた日常的に話される言語であり、複数の口語が生活の中で共存あるいは棲み分けられている)。日本語小説のオラリティというと、口語表現や方言の使用といった文体上の工夫を想起しがちだが、世界の文学を読む際にはそもそも文語や国語がどのように成り立っているのか考える必要もありそうだ。

検閲・流通

制度としての検閲を残す国は今も少なくない。とりわけ政治や性に関わる表現を取締り、国家権力が削除や書き換えを迫ることがあるが、創作行為自体に介入することは難しいためおのずと発表の方を制限することになる。映画を制作する補助金は出るのに放映させてもらえないという話も耳にすることがあるが、日本のいわゆる「有害図書」指定も流通に事実上の制限をかけるものといえよう。レバノンの演劇家ラビア・ムルエは架空の映画をめぐる検閲官とのやり取り自体を『フォト・ロマンス』という作品の枠組に設定したが(2009年アヴィニョン演劇祭で仏語版初演、アラビア語版は同年東京にて初演)、彼曰く「劇場で騒ぎ立てる観客がいるのでむしろ検閲を通しておいた方が問題が少ない」とのこと。社会的圧力は必ずしも国家権力を経由するものではないのだ。とあるイスラム教の宗教指導者がアルジェリアの作家カメル・ダーウドの処刑を呼びかけたのは2014年のことだし、エジプトのノーベル賞作家ナギーブ・マフフーズは同様に扇動された若者によって1994年に襲撃されている。このような脅迫が作家を萎縮させるなら、制度としての検閲すらおいそれと介入できなかった創作行為そのものへの抑圧ともなりかねない。これもムルエの言だが、「補助金という検閲」も無視できないだろう。補助金や文学賞を取りやすいような作品を目指して作家や編集者が本作りをすることも十分に考えられるからだ。実際、「アラブ・ブッカー賞」と俗称されるアブダビの「国際アラブ小説賞」はその莫大な賞金によって大長編小説の流行を招いたといえるかもしれないのである。

パラテクスト

テクストそのものを読むことは果たして可能なのだろうか。言葉が読まれるためには文字化されねばならず、文字とは「支持体」(support)である紙の上に置かれたインク無しには存在できない。膨大な種類の紙や様々な書体から選び抜かれた文字を媒介に、私たちはテクストを手にしている。物質としての書物を見てみよう。専門家によって装丁され、表紙と背表紙にはタイトルと著者名が付されている。表紙には装画や写真が使われているかもしれないし、その外側には帯が巻かれているかもしれない。不思議なことに、書物というものは誰か他の人の絵や写真や推薦の辞に取り巻かれていて、作者自身の言葉に接するにはそれらの敷居を越えねばならないのだ。1冊の本を出すには、別々に発表された中編を二つ合本しているかもしれず、それらをまとめる「あとがき」が作者によって付されているかもしれない。文庫化の際には評論家の解説が追加されたりするし、翻訳小説なら訳注や解題といった付属品には事欠かない。テクストの周辺に配置された要素のことを「パラテクスト」と呼ぶことがあるが、これが作品の印象や理解にも影響を及ぼしていることはいうまでもない。それらが目指しているのは「読みやすさ」を提供することといえるかもしれない。読解の助けとなる解説や魅力的な表紙を工夫することによって、そのテクストがもっと読まれるように、あるいはもっと売れるようにしているわけだ。つまり、広い意味での「流通」が意識されているのである。翻訳において、できるだけ訳注を減らして読書のリズムを妨げないようにすることもあれば、膨大な注釈によって理解を深める助けとする場合もある。どのような「読み」を流通させようとするのか、それが問題なのだ。

世界・世界観・世界文学

「世界」とは、いかにも融通無碍な言葉だろう。私たちが生きている外的諸条件を指す一方で、「内面世界」といった風に個人の意識に焦点を当てることもあり、その都度意味を定義せねばならないような文脈次第の用語ともいえる。しかしながらその曖昧さこそが、多様な論を立てるための契機として大いに活用されている理由かもしれないのだ。実際、「世界観」などは、批評用語としてはほとんど粗雑と言わざるを得ないものだろうが、これほど人口に膾炙し、一般に広く用いられている例も珍しいのではないだろうか。ここで現象学だのバフチンだのと云々するのはやめておきたいが、様々な主体がどのように世界を理解し意味づけを行っているのか問うことは、文学を読むという行為にすでに含まれているのではないだろうか。個々の人物の「世界観」や「作品世界」を読み解いていくことが読者には求められるのだから。そして同時に、読み手の「世界観」がその都度問われるものでもあるだろう。そういった見地から「世界文学」なるものを考えるとき、それはいったい誰の「世界観」に基づくものなのかという疑問も生じてくる。抽象的なレベルで「世界文学」を構想するのは誰なのか。あるいは「世界文学」という図書館に具体的な作品を選定して配架するのは誰なのか。そこには統治的ともいえそうな観点が隠れているのではないだろうか。とはいえ、具体的な文学作品の読みを通じて「世界」の「多様なるもの」あるいは理解し難い他者の「世界観」に向き合うことは、そのような統治的権力から意識だけでも逃れ出るためのレッスンでもあるのではないだろうか。

もっと〈世界〉について知るための10冊

秋草俊一郎ほか『文学』（特集　世界文学の語り方）、岩波書店、２０１６年９・10月号。

ウォルター・J・オング『声の文化と文字の文化』藤原書店、１９９１年。

金史良『光の中に　金史良作品集』講談社文芸文庫、１９９９年。

ベネディクト・アンダーソン『定本　想像の共同体　ナショナリズムの起源と流行』白石隆・白石さや訳、書籍工房早山、２００７年。

齋藤希史『漢文脈と近代日本　もう一つのことばの世界』ＮＨＫブックス、２００７年。

ヴィクトル・セガレン『〈エグゾティスム〉に関する試論・羈旅』現代企画室、１９９５年。

曺泳日『世界文学の構造　韓国から見た日本近代文学の起源』高井修訳、岩波書店、２０１６年。

ツヴェタン・トドロフ『文学が脅かされている』法政大学出版局、２００９年。

アブデルケビール・ハティビ『マグレブ　複数文化のトポス』青土社、２００４年。

水野忠夫『新版　マヤコフスキイ・ノート』
平凡社ライブラリー、２００６年。

Topics

第2部

トピック編

文学理論の現在《いま》を考えるために

第二次大戦後以降、世界各地で脱植民地化の機運が高まり、アフリカ大陸、インド亜大陸、カリブ諸島の地域が次々と独立を果たした。植民地主義支配とそれに続く脱植民地化という歴史的背景のもと、(旧) 宗主国と (旧) 植民地の政治的・文化的・経済的関係についてなされる一連の批判的思考がポストコロニアリズムと呼ばれる。文明化という使命を装った植民地主義の言説に批判的に介入するこの思想の礎を築いたのは、脱植民地化の政治運動に直接携わったエメ・セゼールやフランツ・ファノンといった人物たちであり、エドワード・サイードの『オリエンタリズム』(1978年) 以後にはアカデミアにおいて広く議論され学問分野として定着した。一方、同時期にはナショナリズム研究が急速に発展し、ポストコロニアリズムとの対話も生まれた。さらにこうした理論は、グローバル化の台頭や地球温暖化といった全人類的な課題の進展に伴って、世界文学論、ポストコロニアル・エコクリティシズム、ポスト・ナショナリズムなどへと展開している。　[橋本智弘]

第6章

帝国／ネーション／グローバル化と文学

帝国／ネーション／グローバル化

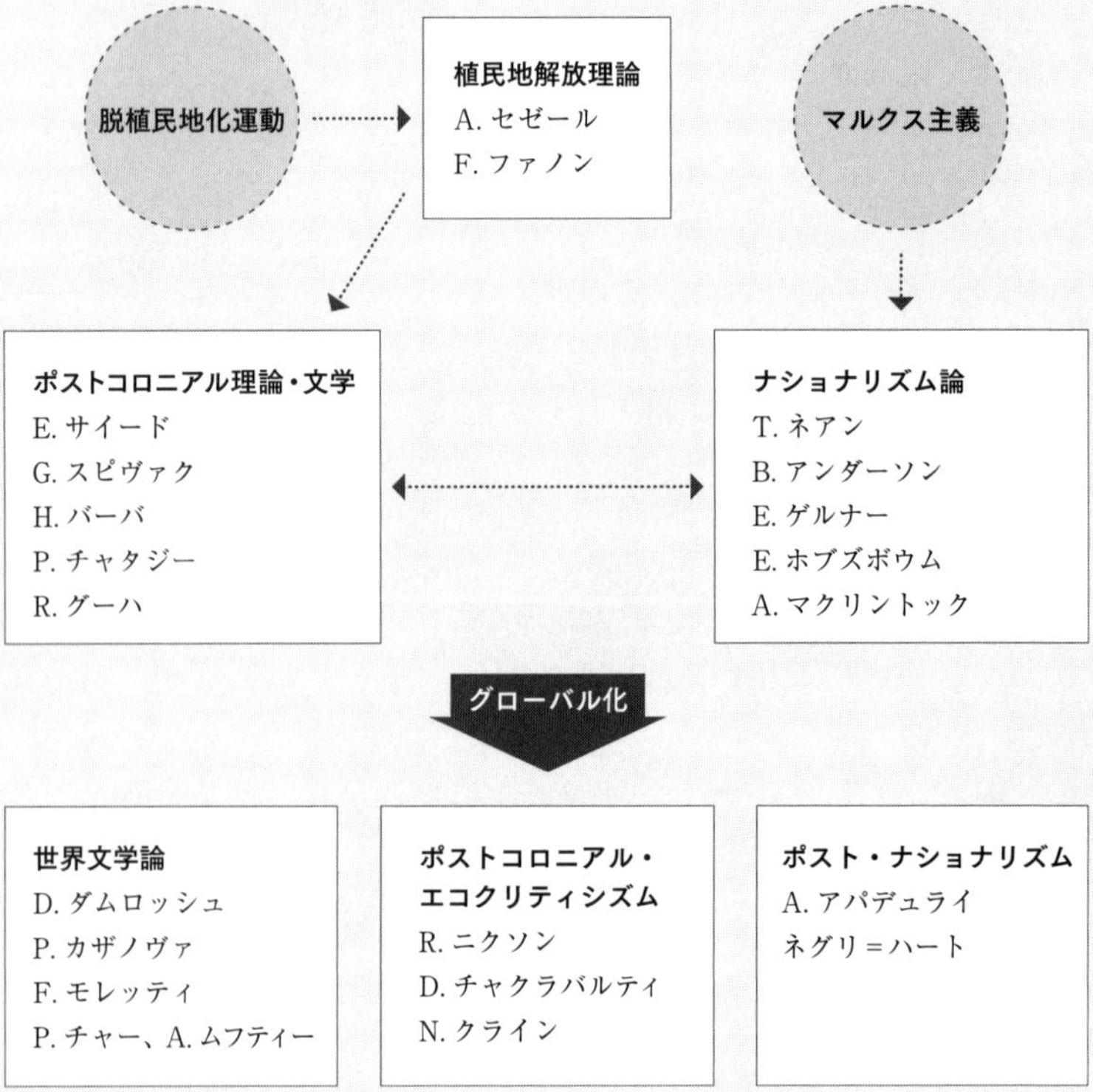
脱植民地化運動
植民地解放理論
A. セゼール
F. ファノン
マルクス主義
ポストコロニアル理論・文学
E. サイード
G. スピヴァク
H. バーバ
P. チャタジー
R. グーハ
ナショナリズム論
T. ネアン
B. アンダーソン
E. ゲルナー
E. ホブズボウム
A. マクリントック
グローバル化
世界文学論
D. ダムロッシュ
P. カザノヴァ
F. モレッティ
P. チャー、A. ムフティー
ポストコロニアル・
エコクリティシズム
R. ニクソン
D. チャクラバルティ
N. クライン
ポスト・ナショナリズム
A. アパデュライ
ネグリ＝ハート

ネグリチュード

ネグリチュードは1930年代にパリに集った植民地出身の知識人たちによって創始された文化運動である。西アフリカの仏領セネガル出身のレオポルド・サンゴール（後にセネガル大統領）やカリブ海のマルティニーク島出身のエメ・セゼール（後にマルティニークのフォール・ド・フランス市長）らは、西洋の植民地主義や人種差別により黒人の文明／文化が不当に貶められている現状に対抗し、黒人文化独自の歴史、伝統、信仰の価値を主張しようとした。ネグリチュードは、アフリカ系アメリカ人による芸術・文化運動であるハーレム・ルネサンスに影響された国際的な運動であり、地理的に離れたカリブやアフリカの黒人に共通する特性を探った。ネグリチュードという造語をはじめて用いたセゼールの長詩『帰郷ノート』（1939）は、みずからの故郷マルティニークに漂う停滞や空虚さの感覚を、コロンブスが到達して以来西洋に翻弄されてきたカリブ海地域の長い歴史とともに語っている。第二次大戦後の一九四八年に出版されたサンゴール編の『ニグロ＝マダガスカル新詞華集』には、ジャン＝ポール・サルトルによる序文「黒いオルフェ」が付され、国際的にも大きな注目を集めた。雑誌『プレザンス・アフリケーヌ』が1947年に創刊されると以後ネグリチュードの文化運動の中心となり、アフリカだけでなくヨーロッパ、カリブ、アメリカ大陸に散らばったディアスポラ文化を幅広く論じるメディアとして機能した。アフリカ文明はヨーロッパ文明とは根底から異なると主張したネグリチュードはあからさまに本質主義的であり、次世代の英語圏の作家からは批判も上がった。英領ナイジェリアで生まれ、アフリカ出身者で初のノーベル文学賞作家となったウォレ・ショインカは、「虎は虎性《ティグリチュード》を主張したりはしない。ただ獲物に跳びかかるだけだ」と言いネグリチュードを揶揄している。

植民地解放理論

20世紀半ばに世界中で展開した脱植民地化の運動にともない、西洋の植民地主義を根本から批判しながら新たな歴史を切り開こうとする思想家たちが現れた。ネグリチュードの唱導者でもあるセゼールは『植民地主義論』（1955）において、プロレタリアートと植民地というみずから生み出した問題を解決できないでいる西洋文明は「瀕死の文明」であるとし、ますます偽善に逃げ込むしかないヨーロッパは「道義的に、精神的に弁護不能である」とあらん限りの激しさで非難している。セゼールによれば、植民地主義は本流の西洋文明からの変則や例外などではなく、ナチズムと並び西洋文明に深く宿る野蛮性の表現なのである。

　かつてセゼールの学生で、精神科医としての経験の後にアルジェリア独立戦争に身を投じたフランツ・ファノンは、政治活動のさなかに植民地主義からの解放の理論を構築した。『革命の社会学』（1959）や『地に呪われたる者』（1961）といった後期の著作は、脱植民地化闘争のための実践的方法論であると同時に、闘争の末に植民地支配を破った後に来たるべき新たな人間像の探究の記録でもあった。「闘争ののちには、植民地主義が消滅するのみではない、植民地原住民もまた消滅するのだ。この新しい人類は、己れのために、また他の者のために、新しい人間主義《ユマニスム》を定義しないわけにはゆかない」。ファノンは植民地のブルジョワ階級のナショナリストたちに強い懐疑を抱いている。というのも、多くの場合そうしたナショナリストが目指すのはヨーロッパの支配者が占める地位の簒奪でしかなく、彼らは一国全体の経済発展や農民階級の生活向上といった喫緊の課題には関心を示さないからだ。支配構造を変革し根本的な脱植民地化を果たすには、血縁や宗教を越えた「民族意識」が必要だとファノンは述べる。闘争のなかにすでに胚胎し文化の領野を中心に発展するこの意識は、分断された雑多な民衆を歴史に参与する主体たらしめ、さらには彼らを広範な国際的連帯《インターナショナリズム》へと導くものだ。

　植民地支配からの根本的な決別を目指した彼らの著述は、同時代の第三世界主義や非同盟運動といった歴史的文脈で理解されるべきである。同時にそれは、新たな人間像の希求という点で、新植民地主義やグローバル資本による収奪といった今日の状況でも意義を持ちうるものだろう。

オリエンタリズム

中立的であるはずの学問研究がその実、他者への認識枠を形成し、政治的・軍事的・経済的支配を隠微な仕方で正当化し、その原動力にすらなっていること――エドワード・サイードの『オリエンタリズム』（1978）が広範かつ綿密な文献学的研究によって暴いたのはこの事実である。「東洋研究」として客観性を装う18世紀末以来のオリエンタリズムは、実は東洋《オリエント》そのものに純粋な関心を持っているわけではない。むしろそれは、西洋《オクシデント》とは根本から異なった他者としての東洋《オリエント》、さらには西洋《オクシデント》の鏡像としての東洋《オリエント》を見出し再生産するための思考様式なのだ。オリエンタリズムとは「オリエントについて何かを述べたり、オリエントに関する見解を権威づけたり、オリエントを描写したり、教授したり、またそこに植民したり、統治したりするための同業組合的制度」であり、「オリエントを支配し再構成し威圧するための西洋の様式《スタイル》」である。オリエンタリズムの概念定義に際してサイードは、ミシェル・フーコーの「言説《ディスクール》」概念を援用している。『知の考古学』（1969）や『監獄の誕生』（1975）といった著作でフーコーが示した洞察は、世界がまずあってそれをありのままに表象するのに人が言語を用いるのではなく、世界を認識しそれについて何か語るために参照される首尾一貫した知の体系（＝言説）があり、それを通じてはじめて主体や世界が立ち現れるということだ。言説としてのオリエンタリズムは、単なるひとつの学問領野にとどまらない理論と実践の総体であり、人々の世界認識に深く浸潤している。歴史学、人類学、言語学、政治学、文学、さらには行政文書などに及ぶサイードの分析対象の広範さが示すように、オリエンタリズムは東洋に対する眼差しを多方面から規定している。かくして、あるイギリス人は純然たる個人としてオリエントに出会うのではなく、オリエントに関する一連の言説にさらされたイギリス人としてオリエントに出会うことになる。オリエントに付与されてきた偏見には、文明上劣っているというだけではなく、受動性や官能性、そして性的退廃などジェンダーに関する要素も多分に含まれる。

サバルタン

「サバルタン」という用語の起源は、イタリアのマルクス主義思想家アントニオ・グラムシの著述に遡る。グラムシはファシスト政権下での長きにわたる牢獄生活のなかで執筆した『獄中ノート』（1947－1951年に死後出版）で、覇権《ヘゲモニー》を持たず社会的・政治的意識も未発達のため国家やイデオロギーに抗うことができない「従属する者」を指してサバルタンと呼んだ。グラムシの指示対象は南イタリアの田舎の貧農層だったが、サバルタン研究集団《スタディーズ・グループ》はこの概念をインドの民衆の文脈に応用しさらに発展させた。ラナジット・グーハを筆頭とする歴史家たちは、イギリスからの政治的独立にもかかわらず階級構造を温存し社会改革を果たせないでいる主流のナショナリズムへの憤りを抱え、民衆を主体とした歴史を記述しようとした。他の階級と同じようにみずから人間性を表明し運動や叛乱を通して歴史を駆動する「主体」としてサバルタンを提示しようと彼らは努めた。これに介入してガヤトリ・スピヴァクは、サバルタンが置かれる状況の複雑さを改めて問い、前提にある「主体」の問題の再考を要請した。『サバルタンは語ることができるか』（1988）でスピヴァクは、ジル・ドゥルーズとミシェル・フーコーの対談に言及し、力なき者たちのために語るという彼らの主張と、インドの「寡婦殉死《サティー》」（女性が夫の亡骸とともに焼身自殺するヒンドゥー社会の慣行）から女性を救い出すというイギリスの植民地主義の独善を並置する。一見進歩的なふたつに共通するのは、救われるとされるサバルタンの主体性を見過ごしていること、そしてサバルタンの経験を表象《リプリゼント》＝代弁する善意に満ちた西洋知識人の主体が透明化されていることである。スピヴァクは、家父長制、植民地支配、ナショナリズムなどの狭間でみずから発言する力や回路を奪われた女性の声を回復することの困難さと、それでもこの不可能な任務に取り組み続けることの重要性を説く。そうしてスピヴァクは、階級的主体や経済的地位にばかり注意を向けていた従来の研究に対してサバルタン概念を深化させるとともに、サバルタンを表象する責務を負った知識人の主体性を問い続ける必要を強調する。

擬態《ミミクリー》と雑種性《ハイブリディティ》／異種混淆性

　ポストコロニアリズムに理論的整備を施し「イズム」としての輪郭を与えたのが、ホミ・バーバであろう。『文化の場所』（1994）でバーバは、脱構築や精神分析など現代思想由来の理論を駆使して植民地言説の不安定さを暴こうとする。文体の難解さから簡単な理解を拒むバーバの思索をあえて一言でまとめれば、植民者／被植民者という圧倒的に不均衡な関係性の内にも権力の基盤を不安定化し両者の区分を曖昧にしてしまう可能性がいつも潜在している、ということになるだろうか。サイードが仔細に研究したように、オリエンタリズムは西洋／東洋の間に本質的な差異を見出し階層構造を固定化しようとする。しかしバーバの見方では、絶対的に見えるそうした支配関係は、内部に深刻な矛盾を抱え込んでいるのだ。

　そうした矛盾の表れのひとつが「擬態《ミミクリー》」である。植民地主義は現地人《ネイティヴ》のエリート層に宗主国の文化や慣習を模倣するよう奨励するが、この擬態の過程から生じるのは宗主国文化の純然たる再生産などではない。植民地教育を受け宗主国流の教養を身につけた現地人は、完全に同一化することはなくどこか差異を保持し続ける。バーバの言葉で言えば、「ほとんど同じだが、しかし完全にではない」。この微細だが決定的な差異によって被植民者は言い知れぬ脅威を感じさせる存在となり、支配権力は被植民者を完全に統御することなどできないということが示唆される。

　バーバの思想で中心的な位置を占めるのが「雑種性《ハイブリディティ》／異種混淆性」である。本来、生物学や植物学、さらには人種理論などで主として否定的に用いられていたこの語を、バーバは言語や文化の生成過程に適用して再定義する。植民地言説は宗主国文化の純粋性を主張し雑種性を排除しようとするが、文化アイデンティティが生ずるのはつねに混淆性のなかからであり、純粋性は事後的に見出されるものでしかない。支配権力は植民者／被植民者の絶対的二分に依拠しているものの、この図式が前提とする文化の純粋性ははじめから存在しないのだ。バーバの戦略の要諦は、「擬態」や「雑種性」といった生物学の語彙の意味を転倒させることで、支配関係を生み出す二分法が根拠を持っておらず、したがって本質的ではないことを示すことにある。

19世紀のナショナリズム論

　集団的な熱狂、先祖返り、排外性といったナショナリズムの特徴は、科学的合理性や普遍的人間性を重んじる啓蒙思想とは対極にあるように思える。だが、他ならぬ啓蒙が世界に拡大した近代において、ナショナリズムはほとんど普遍的な現象となっていった。過去200年ほどのあいだ、ナショナリズムや国民《ネーション》の問題と無縁だった社会などほとんどないだろう。ネーションの名の下に先進国は二度の世界大戦を戦い、脱植民地化運動は西洋による支配からの国民の解放を目指した。ところがいざナショナリズムやネーションを厳密に定義し分析しようとすると、たちまち困難に直面してしまう。なにしろ、マルクス主義や自由主義《リベラリズム》といった他の主義《イズム》と違い、ナショナリズムには特定の教義の体系が見当たらないのだ。その哲学はあまりに貧困であるのに、類を見ないほど影響力を持ったナショナリズムという不可解な現象を、どのように解きほぐすことができるだろうか。

　最初期のナショナリズム論とされるのが、ドイツの哲学者ヨハン・ゴットリープ・フィヒテがナポレオン占領下のベルリンでおこなった連続講演『ドイツ国民に告ぐ』（1808）である。フィヒテは有機体論的比喩を用いながらネーションを哲学的に基礎づけるとともに、みずからナショナリストとして語り聴衆を鼓舞しようとした。ティルジット条約の下で屈辱を味わうドイツ国民に向けフランス文化に対するドイツ文化の潜在的優越性を説き、国民全体に対する新たな教育こそが祖国再興への方途であると熱弁したのである。とりわけ次の一節がよく知られている。「国家と国家を分かつ最初の始源的な、そしてほんとうの意味で自然な国境とは、疑いもなくその内的な国境です。同じ言語を話す者たちは、あらゆる人為に先だって、その自然的な本性そのものによってすでに、無数の目に見えない絆によって互いに結びつけられています」。ここでフィヒテは、目に見えない絆があるのだから軍事上の敗北は問題にならないと言っているのではない。フィヒテの講演全体を貫くのは、本来「根源的民族」であるドイツ国民の精神がいま政治的支配という人為によって不具にされてしまっているという危機感である。だからこそ、教育を通じた道徳精神の研鑽により個人が利己心を乗り越え全体との絆を強くし、ネーションの一部にならなければならないと彼は訴える。部分と全体は有機的な一体であるとする全体論《ホーリズム》にもとづいて、フィヒテは各人がネーションの生成に寄与すべく努力することを強く求めた。

ネーションの存在根拠は言語のなかに先天的にあると示唆したフィヒテに対置されるのが、フランスの思想家エルネスト・ルナンの講演「国民とは何か?」(1882)である。ネーションは古代の帝国や他の様々な集団性とは本質的に異なり、歴史的に非常に新しいものであるとルナンは論じた。種族・宗教・地理・言語といった要素のいずれもネーションを構成するものではない。むしろ重要なのは高次の精神的原理たる「意志」であり、ネーションとは国民全体の意志表明として見ることができる。この性質を捉えてルナンは、「ネーションとは日々の人民投票である」と独特の仕方で表現している。歴史学はネーションの起源にある暴力的な出来事を再び明るみに出してしまうため、「歴史学の進歩は往々にして国民性にとって危険」であるとさえルナンは述べる。つまり、歴史の正確な把握ではなく、「忘却」や「歴史的誤謬」こそがネーションの礎を成すのだ、と。文明化の名の下で非西洋の征服を唱導した人間主義者《ユマニスト》としてエメ・セゼールが強く批判し[→151頁 植民地解放理論]、エドワード・サイードにもオリエンタリストの代表例として論じられるルナンの政治的意図が、帝国化し多くの原住民を包摂することになった「フランス国民」の一体性を正当化することであった点は看過されてはならない。しかし、ネーションとは近代の構築物であるという鋭い洞察自体は時代を越えて受け継がれ、現代のナショナリズム論においてもしばしば引き合いに出されている。

現代のナショナリズム論

英語圏では1980年代にナショナリズム論が急速

に進展する。論者の多くがマルクス主義者であり、彼らは国際的連帯《インターナショナリズム》を蹟かせてきたナショナリズムを解明する必要に駆られていた。この思潮の先鞭をつけたのがトム・ネアンの『英国の解体』（1977、未邦訳）である。ネアンはいずれおのずと解消される問題としてナショナリズムを真剣に扱わなかった従来のマルクス主義を批判しつつ、あくまで唯物論的な説明を求め、経済の不均等発展にその根源があると考えた。イングランドやフランスなど中心地域が近代化を進めると、周辺地域は抵抗しつつも発展に追いつこうと躍起になる。この両義的な動きのなかで、未発展の雑多な地域をひとつにするための精神的な紐帯の創出が必要になる。この運動こそナショナリズムに他ならない。端緒にあった両義性はそのままネーションの本性となり、進歩／退行、包摂／排除、解放／抑圧といった正反対の傾向が内部に共存することになる。ネアンはネーションのこうした両面性を捉えて、前後に二つの顔を持つローマ神話の神の名を借りて「近代のヤヌス」と呼んだ。ネアンの理論は多分に経済決定論的であり、具体的な社会構成や人々の心理への作用に踏み込んだ分析の余地を残した。

ナショナリズムの根源が経済の下部構造に求められるにしても、具体的にはそれはいかなる仕方で機能するのだろうか。アーネスト・ゲルナーの『民族とナショナリズム』（1983）は、産業資本主義が要求する読み書き能力や共通言語がネーションを生んだと論じた。エリック・ホブズボウムとテレンス・レンジャー編の『創られた伝統』（1983）は、スコットランドやアイルランドなど英連邦地域の具体例を分析しながら、様々な文化的意匠がネーションの真正性を担保するべく近代に発明されたことを明らかにしている。以上2冊と同様1983年に出版され、文学／文化研究に多大な影響を与えたのがベネディクト・アンダーソンの『想像の共同体』である。アンダーソンによると、近代ネーションの根底にはヴァルター・ベンヤミンが「均質で空虚な時間」と呼んだ時間性がある。この独特の時間観念を表示するのが、出版資本主義《プリント・キャピタリズム》のふたつの産物、つまり新聞と小説である。これらの文化生産物の内部には、互いに知り合うこともない人々が、紛れもなく同じ時間に属し、過去から未来に向けともに進んでゆく共同体の存在が埋め込まれている。この虚構的《フィクショナル》な共同体の観念こそがネーションの想像を可能にした。同書は他にも、ネーションの英雄的過去を具現化する無名戦士の墓や国民アイデンティティの鋳型を創り出す人口調査や地図など、人文的知見を取り入れた諸概念を駆使してナショナリズムの生起を描いている。ホミ・バーバ編の『ネーションと語り《ナレーション》』（1990、未邦訳）は、アンダーソンの知見を継承し、文学を含む語りの言説がいかにネーションの成立に寄与しているかを探求したものだ。80年代のナショナリズム論は、かつてルナンが国民性にとって危険であるとした「歴史的探究」を推し進めナショナリズムのメカニズムを解明し、同時にネーションが虚構《フィクション》として機能する様を記述することで文学研究との接合を準備した。

　おおむね先進国の男性理論家によってなされた議論に対しては批判もある。アン・マクリントックは『帝国の革ひも』（1995、未邦訳）で、ネアン／アンダーソン／バーバらが関心を払わなかったジェンダーの観点からのネーションの再考を要請した。ネアンが「近代のヤヌス」と呼んだ両面性は、現実にはしばしば男性／女性というジェンダーの両面性に置換され自然化されてきた。ネーションを家族や父母になぞらえる比喩はあまねく見られるが、妻が夫に従属し子が親に従属するという家族内のヒエラルキーは一般に自然視されるため、同様の比喩がネーションに適用されると結果としてネーション内部（あるいは複数のネーション間）の差別構造が強化されることになったのだ。一方、インドの歴史家パルタ・チャタジーは『ネーションとその断片』（1993、未邦訳）でアンダーソンに真っ向から挑戦している。アンダーソンはナショナリズムが一度発明されるとそれは「モジュール」となり他地域で流用されたと考えたが、インドのナショナリズムの歴史はむしろヨーロッパや南北アメリカのナショナリズムとの差異に特徴づけられているとチャタジーは反論する。

ポスト・ナショナリズム

1980年代のナショナリズム論はネーションを

「脱神話化」し、代替の社会形態を論ずるための素地を作ったと言えるだろう。すでに1990年には、歴史家エリック・ホブズボウムはナショナリズム研究の劇的な進展自体がネーションの時代の黄昏の兆候であると示唆していた(『ナショナリズムの歴史と現在』)。冷戦体制崩壊以後の世界秩序に関する議論で機先を制したのは、『ボーダレス・ワールド』(1990)を書いた大前研一のようなビジネスエリート、そして『歴史の終わり』(1992)を著したフランシス・フクヤマやその応答として『文明の衝突』(1996)を書いたサミュエル・ハンチントンといった米国の右派論客だった。だが、やがて人文学の内部からも従来の国民国家に代わる統治や抵抗の在り方を概念化する試みが現れた。アントニオ・ネグリとマイケル・ハートの『〈帝国〉』(2000)は、西洋の国民国家の主権の拡大としての帝国主義と現代のグローバル化で生じる新たな主権形態を区別し、脱中心的で包括的な後者を〈帝国〉と名づける。〈帝国〉への抵抗の主体はもはや産業プロレタリアートや脱植民地化ナショナリズムではなく、グローバル化のなかで必然的に生まれる多元的な集団性〈マルチチュード〉である。グローバル化の文化的次元に着目したアルジュン・アパデュライの『さまよえる近代』(1996)は、国境を越えた大規模な移住が起こりメディア空間におけるイメージの自由な移動が人々の想像力を支配する現代を「ポスト・ネーション」の時代と位置づけ、世界の至る所で生成する「ディアスポラ公共圏」の重要性を指摘する。ポストコロニアリズムもこうした議論に参加している。ホミ・バーバは『文化の場所』(1994)の序文で、かつて裕福な貴族や商人が担ったコスモポリタニズムとは異なった、移民やマイノリティーの視点から形成される「ヴァナキュラー・コスモポリタニズム」を提唱している。ガヤトリ・スピヴァクもまた『ナショナリズムと想像力』(2010)において、既成の国民国家を越えた再分配のシステム構築を展望し、そのなかで文学教育はネーションを「脱-超越論化」する役割を担っていると主張している。

世界文学論（19世紀－）

「国民文学というのは、今日では、あまり大して意味がない、世界文学の時代がはじまっているのだ」。ゲーテは1827年、弟子のエッカーマンとの対話でこう語った（エッカーマン『ゲーテとの対話』）。世界文学という言葉でゲーテは何を言おうとしたのだろうか。どんな文学作品も個人が著すものであり、作家の生きる時代、風土、民族性などを色濃く反映する。しかしひとたび作品が広い地平に置かれると、普遍的な人間性の発露としてより深遠な価値を帯びる。時代がそのような普遍的人間性の顕現を可能にしつつあるとゲーテは考えた。「われわれが個々の人間や個々の民族の特殊性をそのまま認めながらも、その真に価値あるものは、それが人類全体のものになることによって際だってくるのだ、という確信をもちつづけるならば、真に普遍的寛容はもっと確実に達成されるのである」。普遍的人間性の達成という理念の裏には、物質的な次元での世界の変容、つまり世界市場の勃興がある。同時期にゲーテは、太平洋とカリブ海を結ぶパナマ運河、黒海と大西洋を結ぶドナウ・ライン運河、地中海とインド洋を結ぶスエズ運河などの開通を死ぬまでに目にしたいと述べている。地理的に隔てられた場所が繋がり、流通が爆発的に拡大し、人やモノが自在に行き来する――こうした新しい世界像を予見したゲーテは、各国文学のなかに潜在する普遍的な人間性を示す「世界文学」を語ることがいよいよ可能になりつつあると考えた。

ゲーテの着想から20年後、マルクス＝エンゲルスは『共産党宣言』（1847）のなかで世界文学という言葉を用いている。この政治的マニフェストにおいてふたりは、生産と消費が世界的に拡大し、人々が自国のみならず他国の生産物を求める新しい欲望を抱き、各国の交易が相互に依存する世界を予言的に記述した。そうして世界がますます狭く単一な場所になるとき、精神面でも同様のことが起こる。「昔は地方的、民族的に自足し、まとまっていたのに対して、それに代わってあらゆる方面との交易、民族相互のあらゆる面にわたる依存関係があらわれる。物質的生産におけると同じことが、精神的な生産にも起こる。個々の国々の精神的な生産物は共有財産となる。民族的一面性や偏狭は、ますます不可能となり、多数の民族的および地方的文学から、一つの世界文学が形成される」。物質的発展にともない各国の精神的な財産が広く共有され、はては単一の文化が生み出される。帝国主義経済の拡大による世界の統一は、文化の領域でも単一化を引き起こすというわけだ。ゲーテが物質的発展を多様な文学の交歓をもたらすものとして肯定的に捉えたのに対し、マルクス＝エンゲルスはそれが引き起こす均質化を強調している。

19世紀における世界文学に関する断片的な着想を整理しその理念と方法論を示したのが、エーリヒ・アウエルバッハの論文「世界文学の文献学」（1952）である。マルクス＝エンゲルスは資本主義の必然的な帰結として文化の標準化が起こると示唆したが、第二次大戦後にアメリカ型の消費文化が世界を覆っていくとき、まさにこうした標準化が進行していた。アウエルバッハはこの状況はゲーテの理念に反するものであるとし、文献学の伝統の再興を要請した。彼によれば文献学とは、「たんに資料の発見やその研究方法の育成に関わるだけにとどまらず、さらに進んで人類の精神上の歴史や、その多様さに潜む統一的な人間の観念を獲得するために資料を洞察し、資料を活用することにも及ぶ」。文献学は統一的な人間性を探るべく資料を扱う。しかしこの時代、利用可能な資料は増大を続ける一方で、各学問分野は専門化の一途をたどるばかりだった。少数の抜きんでた知識人を除き、そうした資料や知見を使いこなせる者はほとんどいない。そこで新しい方法論が必要になる。アウエルバッハが提唱するのは、資料を網羅的に解読する代わりに具体的で明晰な「適切な糸口」を見出し、その糸口から広範な現象圏を照らし出すという方法である。この方法により、個別の資料の具体性を見失わないままに総合的な視座を得ることができるという。それは個別の作品に潜在する普遍的な人間性を露わにするという「世界文学」研究の使命にかなうものでもある。世界文学の研究によって何を目指すべきなのか（理念）、そして広大で多様な文学をどのように研究することができるのか（方法論）、アウエルバッハはこのふたつの問題系を提示した。

世界文学論（現代）

21世紀への転換期前後、世界文学の概念を再考しようとする野心的な本がいくつも出版された。文学研究の動向は世界の政治経済をただちに反映するわけではないが、世界文学論の再興がグローバル化とどこかで共鳴していることは間違いない。国民国家の衰退が強調されるなか、文学研究もまた国境を越えた研究の枠組みを模索しているように思われる。パスカル・カザノヴァの『世界文芸共和国』（1999）は、ネーションや言語による区分けでは見えない文学的交流を浮き彫りにするべく世界文学の概念を用いている。カザノヴァの提起するモデルでは、文学の世界は政治や言語で分断される世界から相対的に自律しており、そこでは独自の法、市場、歴史が展開している。この「世界文学空間」の力学を捉えるため、カザノヴァは19世紀以降のパリを中心とした文学的交流を動態的に記述している。

国別の枠を越えたモデルを提唱しつつも、世界文学空間の出現をおおむね西洋近代と同一視したカザノヴァは、視野狭窄の指摘を免れえない。近代に偏りがちな見方に対して、時代的にも地理的にも広い視野で世界文学を考えることを提唱したのが、デイヴィッド・ダムロッシュの『世界文学とは何か？』（2003）である。ダムロッシュが重視したのは、文学作品が生まれた時代や地域を離れて流通し、翻訳を通じて別様に解釈されていく過程である。ダムロッシュの定義では、世界文学とは各国の優れた作品（＝正典《キャノン》）の集合ではなく「読みのモード」であり、作品は発祥地の言語と文化を越えて受容されるなかでさらに豊かになり、世界文学の仲間入りを果たすのだという。ダムロッシュの論及対象は『ギルガメッシュ叙事詩』や『源氏物語』を含む古今東西の文学作品にわたる。

方法論上の大きな転回を図ったのがフランコ・モレッティの『遠読』（2013）である。文学を研究する者は原語で読解する能力を持つのが当然とされるが、ひとりの研究者が読める言語の数はたかが知れており、これでは大局的な見地を得ることができない。「木を見て森を見ない」従来の方法に対してモレッティは、ダーウィンの進化論やエマニュエル・ウォーラーステインの世界システム理論にモデルを取りながら、文学史の新たな記述方法を提唱する。各国文学史が系統樹《ツリー》の枝葉としての個別作品を「精読」するのに対し、世界文学の研究は幅広いパターンを対象とした「遠読」をおこなう。綿密な読解をあえて放棄した上で、統計的・計量的な分析により「波《ウェイヴ》」や「グラフ」の形式で描かれる新しい文学史は、さながら自然科学や社会科学の研究成果のようである。モレッティは2010年にスタンフォード大学で〈リテラリー・ラボ〉を創設しコンピューターを用いた批評成果の発信を続けており、デジタル人文学の一翼を担っている。

以上3冊が主流の現代世界文学論として知られているが、フェン・チャーの『世界とは何か?』(2016、未邦訳)はこれらに鋭い批判を加えている。チャーの指摘では、カザノヴァ/ダムロッシュ/モレッティが重視するのは国民国家の境界を越えた文学作品の流通や受容であり、そこで前提とされる「世界」とはひとえに空間的な概念である。言うなれば彼らは「世界《ワールド》」というより「地球《グローブ》」について考えているのだ。流通の記述に終始する主流の理論に対して、チャーは「世界とは本来、時間的概念である」と述べ、ハイデガー、アレント、デリダにおける哲学上の世界概念を探究する。その上で同書は、グローバル資本主義がもたらす破滅的帰結がもっとも鋭く現れるグローバル・サウスを舞台にした現代のポストコロニアル文学を分析し、世界文学の「規範的理論」の構築を試みる。文学をデータのように扱い方法論上の先鋭化を目指したモレッティとは対照的に、チャーの世界文学論は文学に特有の規範性を見出すことでゲーテ/アウエルバッハの理念を再興しようとしている。

近年の世界文学論が、その普遍主義的性格に反して、主として欧米のアカデミアという限定的な文脈から生じていることは看過されてはならない。アーミル・ムフティは『英語を忘れよ!』(2016、未邦訳)において、近年盛んになった世界文学論はいまだ西洋による他者の文学の研究の枠組みにとどまっており、その意味でオリエンタリズム(=東洋研究)の延長にあると論じている。ムフティの慧眼は、「世界」を対象にする研究すら政治的に中立ではなく、不平等な力関係にもとづいていることを見抜いている。

ポストコロニアル・エコクリティシズム

エコクリティシズムや環境人文学が発展したのはまずイギリスやアメリカの文脈においてだったが、地球温暖化や気候変動、そして多国籍資本主義がもたらす環境汚染といった現象は、エコロジーの問題を全人類的な課題として捉えることを要請する。それはまた、手つかずの自然（＝ウィルダネス）や田園を賛美するネイチャーライティングの伝統を、グローバル・サウスの視座から再考することにも通ずる。インドの歴史家ラマチャンドラ・グーハは論文「ラディカルなアメリカの環境主義とウィルダネスの保全　第三世界からの批判」（1989）において、人間中心主義／生態中心主義の区分を前提とするアメリカ流の環境主義（＝ディープ・エコロジー）に疑義を呈し［↓201頁ディープ・エコロジー］、第三世界にあってはエコロジーの問題は人間と家畜の共生や労働問題などと不可分であると論じている。また、ディープ・エコロジーは西洋の自然観へのアンチテーゼとして東洋哲学を称賛するが、この東洋への眼差しは非常に選択的であると批判している。

環境問題の影響は世界中で均等に生じるわけではない。気候の変化に敏感な農業に歳入の多くを頼る発展途上国や海面上昇の被害をただちに受ける島嶼国は、気候変動に対して先進国よりも明らかに脆弱である。『これがすべてを変える　資本主義VS気候変動』（2014）で気候変動の最大の元凶は資本主義そのものだと喝破したジャーナリスト／環境アクティヴィストのナオミ・クラインは、「やつらを溺れさせてしまえ」（2016）と題した講演において、環境運動を軽視したサイードの思想を換骨奪胎し、「他者化」に関する彼の卓越した批判を温暖化の文脈に位置づけ直している。温暖化のもっとも大きな原因のひとつである化石燃料の採掘やその消費は、しばしば「犠牲区域」を生み出し特定の人々の生活環境を汚染する。こうした事態を正当化するのに、ある種の人々の生や文化は別の人々より価値が低いとする「環境レイシズム」が動員されてきた。長期的に見れば気候変動は人類全体への脅威になるだろうが、その破滅的影響を最初に最悪の仕方で受けるのが誰になるのかは、植民地主義と地続きの「他者化」の機制によって決定されるのだ。

ポストコロニアル・エコクリティシズムの成果として重要なのが、ロブ・ニクソンの『緩慢な暴力』(2011、未邦訳)である。自身、サイードの学生で後には同僚でもあったニクソンは、他方では『沈黙の春』(1962)で環境保護思想の源流を作ったレイチェル・カーソンや第三世界の環境運動を研究したグーハの仕事から多くを学んだという。ニクソンの用語「緩慢な暴力」とは、空爆やテロ攻撃といったスペクタクルな暴力とは異なり、長い時間をかけて影響を広げる環境破壊による暴力を指す。「緩慢な暴力という言葉で私が言おうとしているのは、目に見えない所でじわじわと起こる暴力、時間的にも空間的にも拡散し遅れて発生する破壊による暴力、一般にはそもそも暴力とは見なされない暴力のことである」。氷河の融解、汚染物質の拡散、森林破壊、そして放射能汚染といった事象の影響は、長い時間をかけて発現するために政府や市民の決然とした行動を呼び起こしづらい。こうした緩慢な暴力をイメージや物語をもって文学はいかに可視化できるかをニクソンは探求する。ニクソンが論ずる対象には、ナイジェリアの作家/活動家で石油資本による環境汚染に抗議したケン・サロ=ウィワや、自宅の庭とプランテーション農園を重ね合わせるアンティグア出身の作家ジャメイカ・キンケイドなどが含まれる。文学が現実世界の行動にどのように結びつくかを重視するニクソンの批評は、公に語る知識人としてのサイードの姿勢を継承するものだろう。

ニクソンが示したように、環境問題についてはしばしば時間の尺度が問題になる。地質学で提唱され広範な分野で考察されている新たな地質年代区分「人新世」は、いまや気候変動について語る際の合言葉のようになった[↓189頁 人新世]。人新世の始まりがいつなのか、そしてそれがどのような含意を持つのかについて確たるコンセンサスはいまだないが、重要なのはこの概念が人間と自然の関係そのものを再考させるものだということだ。当初サバルタン研究に携わっていた歴史家ディペッシュ・チャクラバルティは近年の論考において、人間の活動が地質に影響を及ぼすようになってしまった現代では人間の概念自体を二重の様式で考えなくてはいけないと論じている。一方で人間は権利を有し正義を行使する「政治的エージェント」であるが、他方でははるかに長い時間的スパンで影響を及ぼす「地質学的力」なのである。

参考文献

ヴィジャイ・プラシャド『褐色の世界史　第三世界とは何か』粟飯原文子訳、水声社、2013年。

エドワード・W・サイード『文化と帝国主義 1・2』大橋洋一訳、みすず書房、1998年、2001年。

大澤真幸編『ナショナリズム論の名著50』平凡社、2002年。

ピーター・バリー『文学理論講義　新しいスタンダード』高橋和久監訳、ミネルヴァ書房、2014年。

ビル・アッシュクロフト、ヘレン・ティフィン、ガレス・グリフィス『ポストコロニアル文学事典』木村公一編訳、南雲堂、2008年。

カズオ・イシグロの長編小説『私を離さないで』において、主人公たちは臓器提供を行うために造られたクローン人間であった。このセンセーショナルな物語の設定は、急速に進展していく科学技術とともに生きる現代の私たちにとって、「人間」そのものの定義が再検討を迫られていることを示唆しているようにも思える。1980年代以降様々な論者が提起してきたポストヒューマニズムの議論は、従来の人文社会科学が前提としてきたような、人間だけを特権的な主体として中心に置き、非人間（自然、科学的対象、技術による構築物、動物など）をそれに従属する客体とみなす態度を批判し、後者の主体性、あるいは両者が不可分であることを主張する。これは主に、「自然／文化」の区分という西洋的前提を相対化しようとする人類学と、人間あるいは思考との相関関係においてのみ存在を捉える態度を乗り越えようとする哲学における議論から展開された思想潮流であり、現在まで多くの研究分野で受容され続けている。

［井沼香保里］

第7章

ポストヒューマン／ニズムと文学

ポストヒューマニズム

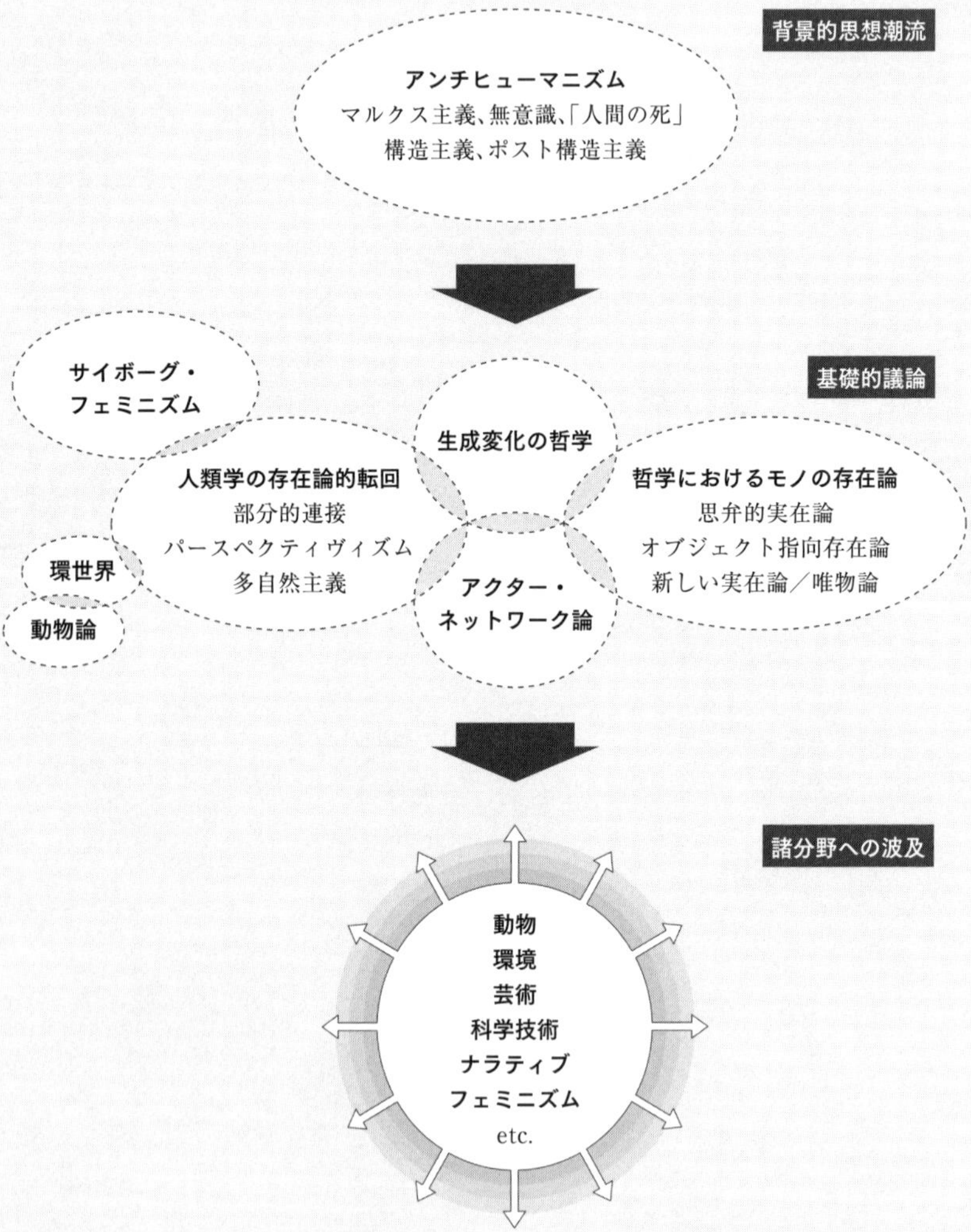
背景的思想潮流
アンチヒューマニズム
マルクス主義、無意識、「人間の死」
構造主義、ポスト構造主義
基礎的議論
サイボーグ・
フェミニズム
生成変化の哲学
人類学の存在論的転回
部分的連接
パースペクティヴィズム
多自然主義
哲学におけるモノの存在論
思弁的実在論
オブジェクト指向存在論
新しい実在論／唯物論
環世界
動物論
アクター・
ネットワーク論
諸分野への波及
動物
環境
芸術
科学技術
ナラティブ
フェミニズム
etc.

アンチヒューマニズム

ポストヒューマニズムは、この名称が示す通り、西洋哲学における「人間」に関する議論、とりわけアンチヒューマニズムと呼ばれる議論をその思想の源泉としている。アンチヒューマニストが対峙した人間観とはすなわち、近代哲学の祖として知られる17世紀フランスの哲学者ルネ・デカルトのヒューマニズムである。これはしばしば「人道主義」と同義で用いられる日本語のヒューマニズムと異なり、人間を中心とする思想を指す。デカルトは、人間の理性に注目することで、神を中心としてきたそれまでの世界観や常識を刷新した。「コギト・エルゴ・スム（私は考える、ゆえに私は存在する）」というあまりにも有名なテーゼは、身体感覚や感性、信仰、常識などあらゆるものを懐疑した結果導き出されたものであった。つまり、最終的に疑いえないものとは、考えている私の存在自体だったのだ。デカルトにとって人間とは、合理的に考える理性を持った存在であり、まさにこの意味において動物とは根本的に区別されるべきものである。このように人間固有の本質的特徴を見いだし、これを世界の中心に据える考え方は、カントをはじめ西洋哲学の前提となり、（西洋近代）社会の常識ないし指導原理として確立されていった。

このようなヒューマニズムの思想は特に19世紀以降、多くの論者によって批判され始める。若きカール・マルクスはフリードリヒ・エンゲルスとの共著『ドイツ・イデオロギー』（1845）の冒頭で「人間たちは、これまでいつも、自分自身について、自分たちがなにであるか、あるいはなにであるべきかについて、まちがった諸観念をつくってきた」と述べる。マルクスは人間を、歴史や政治、社会関係から独立して存在するのではなく、物質的諸条件の影響を強く受け、これに依存するものと捉えた。ジグムント・フロイトは、『精神分析入門』（1917）において、ヒューマニズムという「単純な自惚れ」は二度、コペルニクスの地動説とダーウィンの進化論によって打撃を受けたと述べる。彼は、人間の活動は部分的には無意識的な心的過程によって支配されているという立場を示すことで、人間の懐疑が完全に意識的で、合理的だとするデカルト的なヒューマニズムの立場を相対化したのだった。

こうした批判は20世紀半ば、新たなアンチヒューマニスト的理論家たちに引き継がれるかたちでさらに活性化する。たとえばルイ・アルチュセールは『マルクスのために』収録の「マルクス主義とヒューマニズム」（1964）において、人間主体は社会的に構築されると示したマルクスの議論を評価し、ヒューマニズムを、単なるイデオロギーとして批判した。ジャック・ラカンは、フロイト以降の精神分析が、フロイトの「エゴ」の議論を用いながらヒューマニズムに後退していく傾向に批判的であった。彼は『エクリ』（1966）において、ヒューマニストの伝統的な議論のなかには人間存在の中心なども はや見出すことはできず、無意識がこれに「コペルニクス的転回」をもたらすという立場をとった。ミシェル・フーコーは、『言葉と物』（1966）の序文冒頭で、作家ホルへ・ルイス・ボルへスのテクストにおける「ある中国の百科事典」の「動物」の項目に、実在の動物と想像世界の動物が並置されていることへの異常さを引き合いに出し、ある分類を確かなものにするときに我々が前提とする地盤そのものを問題化する。そこから、19世紀以降の近代的な人間科学の起源を問うことで、「人間の終焉」を宣言した。これは、「人間」という概念はある歴史的瞬間＝契機においてヒューマニストが発明したものであり、これが依拠する、ある時代や社会に固有の知の枠組み（エピステーメー）が将来的に変更されれば、おのずと「人間」という発明品も消滅しなければならないという主張であった。

一方、ヘーゲルやフッサール、ハイデガーなどによる形而上学的ヒューマニズム批判への批判を行ったのはジャック・デリダであった。彼は『哲学の余白』（1972）に収録された講演「人間の目的＝終わり」（1968）において、こうしたアンチヒューマニストたちの思想は本質上人間中心主義的であると批判する。そして「人間の終わりについての思想は、形而上学のなかに、人間の真理についての思想のなかに、つねにすでに前もって書き込まれている」とし、彼らのアンチヒューマニズムの議論を脱構築した。さらに、デリダの死後出版された講演集『動物を追う、ゆえに私は（動物で）ある』（2006）は、今日のポストヒュ！マン的思想、とくに「文学における動物」を考察するにあたり主要な批評理論の一つとなっている。

動物論

動物研究《アニマル・スタディーズ》は、人文社会科学、自然科学の別を問わず様々な分野で横断的に研究されている比較的新しい学問領域であり、文学研究では、主に作品における動物の表象が焦点となる。たとえば作品における動物の擬人化、あるいは人間の動物的な性格の描写は、従来当然視されてきた人間の動物に対する優位性を問い直し、〈脱人間中心主義的〉に人間と動物の関係性を捉えなおす考察を可能にする。こうした観点に立つときに重要な批評理論として参照されるのが、ジョルジョ・アガンベンの『開かれ　人間と動物』（2002）と、ジャック・デリダの『動物を追う、ゆえに私は（動物で）ある』（2008）である。

アガンベンは、神学、生物学、哲学などの言説を通して、動物的なものと人間的なものの〈分断〉の系譜を辿っている。分類学の祖カール・フォン・リンネが、人間のもつ種としての特性を、自らを人間と認識することに見出したということを説明するにあたって、アガンベンは「人類学機械」という装置を登場させ、概念化する。これは、人間と動物の境界線を画定するということにおいてはじめて「人間」なるものが規定され、産出されるような、根本的に形而上学的かつ政治的なひとつの操作である。そしてそれは、人間と動物のあいだの分節化が生じざるを得ない〈未確定領域〉を設けることによって機能するという。本書のタイトルでもある「開かれ」とは、ハイデガーが「世界」に開かれうる現存在としての人間の根源的な存在様態として、それゆえ動物との根源的な差異を際立たせるものとして据えた語であるが、アガンベンはこれを、人類学機械の適用が宙づりにされる例外的な瞬間として読み取る。この人類学機械の停止という状況は、ヴァルター・ベンヤミンが好んで使用した「静止状態」ないし「中間休止」として捉えられる。そこでは、人間と動物の〈あいだ〉で、たんなる分割線や境界線といったもの以上の「空虚」が、動物的な生でも人間的な生でもない〈むき出しの生〉を顕わにさせるのである。
デリダの著書は、飼い猫に裸を見られること、そしてそれを恥じることについての自伝的告白から始まる。動物に「見られる」という経験は、『創世記』の起源説話において人間が動物を名づけることによって〈人間になる〉ということ以前の状況へと人間を差し戻すような「全き他者」の到来であり、それによって「私とは何か」と問わざるを得ない反応を引き起こす。アリストテレス以降の西洋哲学ないし思想、とりわけデカルト、カント、レヴィナス、ラカン、そしてハイデガーの議論において、動物は「見る」べき対象とみなされ、こうした動物たちに「見られる」という経験は主題化されてこなかったとして、これらの議論を検討する。デリダの立場は、人間と動物の間に通常措定されている断絶を抹消することでも、その断絶を素朴に是認することでもない。これを「リミトロフィ」と呼ばれる経験として、つまりわれわれが〈人間と呼ぶところのもの〉と〈動物と呼ぶところのもの〉の間の境界を分割不可能な一線ではなく、複数的で過剰に畳み込まれた「深淵状」のものとして捉えるのである。

デリダの議論は、『ポストヒューマニズムとは何か』（２０１０）をはじめケアリー・ウルフが近年積極的に取り組んでいる動物研究にも引き継がれている。特にこの著作に収録されている「言語・表象・種」では、ダニエル・デネットに代表される認知科学が前提とする人間中心主義的な思想を、デリダの動物論を含む諸議論に立脚して批判している。デリダが前掲書で議論したように、功利主義の哲学者ジェレミー・ベンサムが動物について、それが思考や言語能力《アヴォワール》を持つかではなく「苦しむことができるか」という観点から問うたことは、動物についての問いが種々の力能《プヴォワール》によってではなく、受動性、つまり非-力《ノン・プヴォワール》によって問いただされていることを意味している。ウルフによればポストヒューマニズムとは、このように、われわれの思考の近似値において人間でないものを捉えることではなく、われわれがそれとは別の一つの思考に至ること、謙虚さを増大することであり、われわれと異なる仕方で生ける〈主体〉たちが偏在するこの世界の内に生きることを伴うものなのである。

生成

ジル・ドゥルーズとフェリックス・ガタリは、マイノリティが支配的でメジャーな言語の内にありながらそれをずらし、「脱領土化」する文学を「マイナー文学」と呼び、その積極的な政治性を評価する。こうしたマイナー文学として読まれるフランツ・カフカの『変身』において、人間が〈動物になる〉という特異な状況は、今日ポストヒューマニズムの諸議論において重要概念となっている「生成変化」の一例として読まれている。この概念の背景には、心理主義ないし神秘主義的に読まれがちなアンリ・ベルクソンの哲学からドゥルーズが取り出した〈潜在的なもの〉の存在論がある。ベルクソンにとって潜在的なものとは、現実的《アクチュアル》ではないが実在的《リアル》なものであり、時間の分割不可能な流れ（持続）の中で不断にその在り方を変容させていくものである。ドゥルーズはこれにライプニッツによってもたらされた「微分」の概念、すなわち襞として無限小に折りたたまれた〈未規定なものそのもの〉を接合し、卵細胞や脳のシナプス連関を原型として生成変化する生命の在り方を提示したのだった。潜在的《ヴァーチャル》なものが現実的なものに移行する（＝現勢化）過程についてベルクソンが「エラン・ヴィタル（生の弾み）」とし、その神秘性を保持したのに対し、ドゥルーズはあくまで唯物的な原理を導き入れることで連続性を担保している。

　新唯物論を提唱するマヌエル・デランダは、カオス理論をはじめとする科学哲学の観点からドゥルーズの存在論を再構成した『強度の科学と潜在性の哲学』（２００２）において、類似、自己同一性、アナロジーや対立といった原理によってヒエラルキーをなす伝統的な存在論に対し、潜勢的《ポテンシャル》で強度的な生成変化について思考するドゥルーズの哲学に基づいて「フラットな存在論」という立場を提示している。また、『社会の新たな哲学』（２００６）においてもドゥルーズの集合体理論に依拠し、社会的存在は諸部分同士の関係において構築される「関係内在的」なものではなく、わたしたちの観念からある程度自律した「集合体」であり、集合体の部分は関係に外在的で自律性を持ち、ある集合体からべつの集合体へ接続することができるという立場を示した。デランダと共通したテーゼを持つわけではないが、同じく新唯物論を提唱するロージ・ブライドッティもドゥルーズの影響の下、フェミニズム理論に関する著作を執筆している。議論の射程をフェミニズムから広げた『ポストヒューマン』（2013）では、現代的な状況や課題と対応させながら、一元論的な生気論を基盤とし、動物、非生物、機械的な存在のなかで人間を捉えるポストヒューマニズムの構想を提示している。

ジェーン・ベネットは、西洋政治学の伝統において、人間主体に従属的とみなされてきた物質が政治過程において活発な役割を担っていること、行為主体性は人間固有の特質ではないことを主張し、物質と生命、受動的客体と能動的主体といった伝統的な区分を再考する。特に『脈動する物質《ヴァイブラント・マター》』（2010）では、物質が人間の意志を妨害するだけでなく、自らの傾向性において行為者のように振るまう様子を「生気的物質性《ヴァイタル・マテリアリティ》」という概念によって示した。彼女は、スピノザ、アドルノ、ベルクソン、ドゥルーズやガタリなど西洋哲学の生気論的伝統に依拠しながら、「新しいアニミズム的存在論」とも自身が称する立場を打ち出し、物質の行為主体性、ひいては主体性そのものの考察を行っている。

こうした生気的な物質性という議論は、思弁的実在論者の一人として挙げられるイアン・ハミルトン・グラントの研究においても重要である【↓181頁 思弁的唯物論／実在論】。彼は『シェリング後の自然哲学』（2006）において、カントの相関主義への批判として、ドイツ観念論を代表する哲学者フリードリヒ・シェリングが「自然哲学」を展開していたことを読み解いている。グラントによれば、カントによって世界は、〈世界そのもの〉と〈現象する世界〉とに決定的に分断され、「自然そのもの」は哲学的思考の領域から排除されることになった。他方でシェリングの自然哲学はそうした分断の拒絶を志向しており、ここでの物質性は、活動においてのみ存立するものとして動態的にとらえられている。

アクター・ネットワーク論

ブリュノ・ラトゥールを中心に創案されたアクタ

ー・ネットワーク論（Actor Network Theory、略してANT）とは、人間と非・人間《ノンヒューマン》（モノ《オブジェクト》）にアクターとして同等な行為主体性《エイジェンシー》を付与し、両者が相互行為していくことで、社会や自然、さらには「実在」までもがネットワークとして構成されていくことを示す理論である。ここで鍵となる方法論が「人類学的考察」だ。これは、単にラトゥール自身が自然科学の実験室などの現場に入り込み、フィールドワークを行ったという事実にとどまるものではない。人類学者がある対象社会についての民族誌《エスノグラフィー》を書き上げるように、あらゆる役割、行為、能力を偏りなく分布する場に足場を置き、現場に働く諸力を対称的に取り上げ、諸要素間の連関の性質に注視し続ける態度を保持することである。ANTを基礎とする科学的実践や実在の捉え直しは、『科学が作られているとき』（1987）や『科学論の実在』（1999）で進められていくが、科学論の範囲を超えて「近代」という問題に踏み込んだ著作が『虚構の「近代」 科学人類学は警告する』（1991）である。ラトゥールによれば、「近代」という言葉は次のような相互依存関係にある2種類の実践を表しているという。まずは「翻訳」と呼ばれる、自然（モノの領域）と文化（人間の領域）が混ぜ合わされることで、まったく新しいタイプの異種混合物が作り出されるネットワークの過程。そしてこの過程に支えられた「純化」と呼ばれる、たとえば自然と文化、人間と非・人間のように存在論的に独立した二つの領域が生み出される過程である。近代論者、あるいは自らを近代人だと認識する者は、このうち「純化」の働きにしか目を向けていないのだという。こうした議論の上に〈非近代論〉、すなわち「近代」が虚構であること、われわれは少なくとも近代論者が言う意味での「近代人」であったことなど一度もない、というテーゼが導き出される。ANTや非近代論は、「人類学の存在論的転回」という動向を担う重要な議論であると同時に、社会科学や芸術の領域、文学研究、そしてオブジェクト指向存在論をはじめとするポストヒューマニズム的な哲学的議論にも影響を与え続けている。

日本における存在論的転回

日本の文学研究で、ポストヒューマニズム的な議論は、サイエンス・フィクションやエコ・クリティシズム、動物研究などの領域においてますます重要性を帯びている。一方で、ポストヒューマニズムの理論構築に積極的に加わっている動きとして注目されるのは、文化人類学者らによる「日本における存在論的転回《ジャパニーズ・ターン》」である。この言葉は、人類学の国際誌『ＨＡＵ』で２０１２年に発表された特集記事のタイトルに由来する。『野生のエンジニアリング』などの著書がある森田敦郎が執筆者の一人であるこの記事は、日本の文化人類学者が、ブリュノ・ラトゥールをはじめとする欧米における人類学の存在論的転回に関心を持つに至るまでの系譜、個々の研究関心に即した内的必然性を描いている［↓176頁 アクター・ネットワーク論］。このような振り返りは森田自身も寄稿している春日直樹編『現実批判の人類学』（２０１１）に触発されたものであり、この論集では現代の日本の文化人類学者が存在論的転回の動向をどのように受け止め、それぞれの議論を展開しているのかの一端を知ることができる。たとえば久保明教は「世界を制作＝認識する」において、存在論的転回を担う論者とされるラトゥールとアルフレッド・ジェルの議論を検討し、彼らが関係論的な存在論を基盤とすることで、認識論から退却するのではなくむしろ存在論と認識論の接合を実現していると論じる。そのうえで、このような関係論的存在論は、潜在的に無限の可能性に開かれていると同時に、それがなんらかの営為を通して現実的な有限にたたみこまれるという意味で、世界がその都度「仮設」されるという立場に立っていると指摘する。石井美保は「呪術的世界の構成」において、ジェルが『芸術とエージェンシー』（１９９８）で提起した呪物論を参照しながら、彼女がガーナ南部と南インドのフィールドで出会った呪術的あるいは神聖な世界の位相が、人々の信念の中にあるのではなく、人の身体やモノ、霊や神といった諸要素の間の密接な連関を通じて形成されるものであることを示し、それがどのように意識や認知以前の人間の身体活動を通して「現実」として生きられるのかを検討している。ジェルが人間の意図や推論といった認識の働きに焦点を当てている一方で、石井は、そうした側面の重要性を保持しながらも、人とモノの呪術的連関の在り方には、人間による操作を超えた偶発性や予測不可能性もまた不可欠であることを提示している。

オブジェクト指向存在論

オブジェクト指向存在論（Object-Oriented Ontology、略してOOO）とは、思弁的実在論者の中心人物の一人としても知られるグレアム・ハーマンの議論をはじめとする対象＝事物指向的なアプローチを包括するためにレヴィ・ブライアントが命名した用語である。ハーマンは、OOOの傾向を持つ論者としてブライアント、イアン・ボゴスト、ティモシー・モートンを挙げている。

ハーマンは、最初の著作『道具存在　ハイデガーと対象の形而上学』（2002）以来一貫して自身が「オブジェクト指向哲学」と呼ぶ立場に立っており、特に『四方対象　オブジェクト指向存在論入門』（2011）を自身のこれまでと今後の思想の縮図と位置付ける。この著作でハーマンは、それまでの哲学のように対象を還元主義的に捉えるのではなく、四つの極――実在的対象、実在的性質、感覚的対象、感覚的性質――の相互関係から理解する。感覚的対象は意識に現れるすべての対象を指し、その都度見え方が異なる感覚的性質を持つ。実在的性質は、感覚的対象がそれ自身であるために必要な性質であるが、これを備える実在的対象は感覚的対象からは退隠しており、決して直接アクセスすることはできない。それは多数の感覚的性質と曖昧なかたちで融合することによってあくまで暗示されるに過ぎない。そしてこの四つの極の組み合わせと関係性において、時間・空間・本質・形相などの形而上学的カテゴリーが導出される。

ブライアントは『対象の民主主義』（2011）において、自らの立場を個々の対象に関わる「オンティコロジー」と呼び、存在自体を問う存在論《オントロジー》と区別する。彼が支持するマヌエル・デランダの「フラットな存在論」では、ハーマンと同様に対象は退隠するものであり、すべての対象を包括する全体的な世界など存在しない[↓175頁 生成]。さらに、あらゆる対象は等しい存在論的身分を持ち、そこで人間が特権的地位を占めることはない。ブライアントは多くの点でハーマンのオブジェクト指向哲学に同意するが、対象の隠れた性質を潜在性《ヴァーチャリティ》として捉える点、そして対象間の非関係性ではなく相互作用を積極的に重視する点においてハーマンと見解を異にしている。

ボゴストは、対概念である主体《サブジェクト》を想起させ、かつ物質性を含意する対象《オブジェクト》の代わりに「ユニット」という語を用いる。『ユニット・オペレーション　ビデオゲーム批評の試み』（2006）ではビデオゲーム批評を行うにあたり、文学理論と情報処理を融合させた「文学技術理論」を提示する。この理論によって、ビデオゲームのみならず詩、文学、映画や芸術などのあらゆるメディアは連結された意味のユニットとして読めることが示される。『エイリアン現象学』（2012）では、OOOの立場をさらに前面に打ち出し、すべての存在は相互作用し、経験しあうが、その経験は人間の理解力から退隠し、隠喩に基づく思弁を通してしかアクセスすることができないと述べる。さらに彼はビデオゲームのデザイナーである自身の経験を踏まえ、形而上学者は存在論について考えて書くだけでなく、事物を構成して存在論を実演すべきと呼びかける。

シェリーなどロマン主義文学の研究から出発したモートンは、『自然なきエコロジー　来たるべき環境哲学に向けて』（2007）で、従来のエコロジー思想において人間と対立的に捉えられ称揚された「自然」概念の問題性を指摘し、そうした狭義の自然を超えた雰囲気のように「とりまくもの」としてのエコロジーを思考し直している。続く『ハイパーオブジェクト』（2013）や『リアリスト・マジック』（2013）では、OOOを取り入れて独自の環境哲学を展開している。とくに前者の著作で彼は、事物に関するこれまでの観念では捉えることのできないほど時間的にも空間的にも広大な対象を「ハイパーオブジェクト」と呼ぶ。ハイパーオブジェクトは、実存哲学が語る「死」のように私たちにどこまでもまとわりつく「粘性」をもち、膨大な時間的スケールをかけて徐々に変化し、三次元以上の位相空間のうちにあるため人間の認識は局所的にならざるを得ず、「全体」を把握することは不可能となる。さらにそれは間対象性《インター・オブジェクティヴィティ》を持ち、人間同士の間主観性《インター・サブジェクティヴィティ》をもその一部とする広大な非人間的対象間の相互作用の網の目をなしているとされる。

思弁的唯物論／実在論

　今日の天体物理学者や地質学者は、宇宙や地球の年代を数学的な形式によって語ることができる。カンタン・メイヤスーは『有限性のあとで』（２００６）において、このようにして語られる人間という種あるいは地球上の生命の出現に先立つあらゆる現実を「先祖以前的」と呼び、こうした言明はカント以来の哲学的思考「相関主義」と両立することができないと主張する。相関主義とは、人間は、自らの思考と何らかのしかたで「相関」している限りでの対象しか思考できないという立場である。物自体の認識は完全に禁じるものの、即自的なものの思考可能性は維持するカントの超越論性が「弱い」相関主義であるのに対し、両者を否定するヴィトゲンシュタインやハイデガーなどの議論が「強い」相関主義であるという。これに対して、メイヤスーが提示する立場が思弁的唯物論、思考を介さない存在が絶対的実在であるとする唯物論である。ここでは、「事実論性」と呼ばれる事実性の絶対化が鍵となる。すなわち、この世界が現にこのような自然法則の上に成り立っていることはまったく偶然的であり、必然的な理由を欠いていることを認めるのである。また、彼の論文・講演・インタヴューを集めた『亡霊のジレンマ』（２０１８）収録の文学論「形而上学と科学外フィクション」では、実験科学が成り立つ世界を想定するサイエンス・フィクションに対し、事実論性が適用されるような世界を扱うものを科学外フィクションと呼んで区別している。

　事物それ自体を主題化する試みを相関主義批判という形で追及した『有限性のあとで』は、思弁的実在論のバイブル的存在となった。思弁的実在論とは、メイヤスー、レイ・ブラシエ、イアン・ハミルトン・グラント、グレアム・ハーマンの４人が集った２００７年ロンドン大学ゴールドスミス・カレッジでのワークショップをきっかけとした思想潮流である。これを命名したブラシエは、『ニヒル・アンバウンド』（2007）でメイヤスーの「先祖以前性」よりもラディカルな非相関性を担保する概念として、太陽の絶滅が示す「事後性」を考察している。思弁的実在論は、4人の立場の間に違いや対立が見られるため一つの哲学的動向とは呼びがたいが、とりわけハーマンが『思弁的実在論入門』（2018）において各論者の議論を整理するなどしてこの潮流を牽引している。

自然と文化

近年の「人類学における存在論的転回」と呼ばれる思想潮流では、自然と文化という二項対立図式の相対化が主題となっている。この転回を担う論者たちが重視するのが、1960年代に始まった構造主義ブームの火付け役、クロード・レヴィ゠ストロースである。彼は『野生の思考』（1962）において、呪術的かつ神話的、あるいは感覚所与に基づく「未開人」の思考を論理的誤謬と考えるのではなく、むしろ「文明人」の日常の知的操作や芸術活動にも重要な役割を果たす「野生の思考」と呼ぶべきものとして概念化する。そしてこうした思考は、当該社会において概念体系の形をとって、自然と文化それぞれの異なるレベルに属するメッセージ間の可換性をも実現する。このように、自然から切り離された人間像の構築よりはむしろ、自然の連続的な実在のなかへ人間主体を解体していく彼の議論は、ポスト構造主義的批判を経てもなお後世の研究者の知的発想を刺激してきた。

レヴィ゠ストロースの指導を受けたフィリップ・デスコラは『飼い馴らされた自然』（1986）のなかで、エクアドルのアシュアール社会をフィールドワークし、アマゾンの密林は手つかずの自然ではなく、先住民が手を加えることでその生態環境を構築してきたこと、そしてそれは、野生領域と人間の居住空間を媒介する広大なインターフェイスとして機能していることを描き出した。さらに『自然と文化を超えて』（2005）では、世界各地の民族誌《エスノグラフィー》を、人間と非人間が「内面性」と「身体性」を共通とするか相違するかという軸に沿って分析し、西洋近代に特徴的な「自然主義」、非西洋文化圏で多く見られる「アニミズム」と「トーテミズム」、そして古代中国や中世ヨーロッパにみられる「類推主義《アナロジズム》」という四つの類型を導き出している。また、『自然と社会　人類学的パースペクティヴ』（1996）収録の論文「自然の構築」では、人間と非人間はお互いに自律しているのではなく、これらの諸存在をそのように構築する関係を通してのみ意味やアイデンティティを持つと主張する。こうした人間と非人間の関係性は、ブリュノ・ラトゥールらが提唱するような機能的なネットワークとしてではなく、分類図式と様式の互換性ないし非互換性によって構造化される組み合わせのセットとして記述されるとして、自身の提唱する「構造現象学」を区別している［↓176頁 アクター・ネットワーク論］。

デスコラと同時期にブラジルをフィールドとして人類学的研究を行ったエドゥアルド・ヴィヴェイロス・デ・カストロは、構造主義的な分析を引き継ぐ一方で、ドゥルーズやガタリによるポスト構造主義の成果である多元的な生成変化の存在論を取り入れ、「パースペクティヴィズム」を提示した。パースペクティヴィズムとは、アマゾンの先住民思想、ひいてはアメリカ大陸先住民の思考を説明する概念である。生態系のなかで、捕食者と被捕食者という関係性は固定的でなく流動的であり、それによって主体と客体の位置は常に変化する。捕食関係を中心に、人間と非人間の別を問わない異なるたぐいの主体が、それぞれに特徴的なパースペクティヴ（視点）を通して、つまり人格を伴って現実を理解しているという立場である。そしてこれは、単一の自然から多数の見方（文化）が分かれるとする多文化主義ではなく、単一の見方（文化）から多数の自然が分かれる「多自然主義」へと結びつく。これらの議論は、デスコラがトーテミズムと対称的に定式化したアニミズムの観念に呼応するのみならず、レヴィ＝ストロースが『野生の思考』でトーテム的な体系のモデルと自然／文化の間の互換的なモデルの相補関係を議論しているなかでも、萌芽的に示されているという。しかし、自然と文化の間のダイナミックな力学に着目したヴィヴェイロス・デ・カストロの研究の理論的な枠組みには、とりわけブリュノ・ラトゥールの近代性についての議論が決定的な影響を与えている。『食人の形而上学』（2009）では、他者の世界を西洋的な枠組みを用いて説明しないことによってその実在化を図る「食人の形而上学」を提示する。また、パースペクティヴィズムや多自然主義の議論を土台として、西洋の形而上学とは異なる概念創造の方法として、レヴィ＝ストロースからラトゥールやマリリン・ストラザーンらに至るまでの人類学の構造主義的系譜、自然と文化の二元論を問い直す理論的系譜を描き出している［↓184頁 サイボーグ］。

　こうした人類学的な研究のなかで、近年文学研究においても用いられているのがエドゥアルド・コーンの『森は考える　人間的なるものを超えた人類学』（2013）である。コーンはエクアドルのアマゾン地域に住むルナ族の人々の生活実践を研究し、人間、動物、精霊、自然などの「諸自己」が、熱帯雨林を舞台に複雑な網の目状の生態系を構成しているという議論を、チャールズ・サンダース・パースの記号論を介して展開している。この議論は、文学作品をはじめとするナラティヴにおける動物に焦点を当てたデヴィッド・ハーマンの『人間的なるものを超えたナラトロジー　ストーリーテリングと動物の生』（2018）において、人間を中心としないナラティヴの分析枠組みとして発展的に用いられている。

サイボーグ

「われわれはすでにサイボーグである」というセンセーショナルな言明で知られるダナ・ハラウェイの「サイボーグ宣言」（1985）は、生物学、フェミニズム理論、情報工学や労働関係論など多岐にわたる関心に基づく論集『猿と女とサイボーグ』（1991）に収録されている。本論文は発表当時、技術決定論への当惑や賛否の反応を呼び、またポスト・フェミニズム期の到来を告げるものとして他分野に影響を与えた。情報工学の進展によって社会関係に変容が生じ、それまでの社会運動が依拠してきたような各種のアイデンティティが団結の根拠たりえなくなる状況において、サイボーグ、つまり、生体と機械から構成された混成的な創造物のイメージが有用となる。サイボーグは、これまでのフェミニズム理論（精神分析やマルクス主義、ラディカル・フェミニズムなど）が依拠する何らかの原初的統一や自然との一体化という幻想を打ち砕き、歴史的に構築された「女性」を、同一性ではなく類縁性において捉えること、部分的な視覚をもつ単独者としての「彼女」たちが集合的に結びつく新たなイメージを提供する【↓233頁 フェミニズム運動と文学への影響】。ハラウェイはこれを批評理論としても展開しており、「サイボーグ宣言」の後半部ではフェミニスト・サイエンス・フィクションと呼ばれる作品群を扱い、作中に登場するサイボーグたちの性差の論理の読解を試みている。

こうしたハラウェイのサイボーグの議論は、分野を超えて民族誌《エスノグラフィー》の理論にも援用された。民族誌が人類学者によってあくまで「創作」されたものであることが暴かれた80年代から90年代、「人類学の危機」と呼ばれる時代に、メラネシア研究のマリリン・ストラザーンは『部分的つながり』（1991）を発表し、民族誌の持つポストモダン的側面を強調した。彼女によれば伝統的に人類学者は、世界が本来的に複数の存在から構成されているという自然観を前提とし、たとえば経済的分析から政治的分析へ、あるいは一つの社会から複数の社会の比較へと分析視角を切り替えることで対象の理解を深めようとしてきた。しかし、そうした切り替えによって立ち現れる概念は統一的全体の部分ではなく、それ自体が襞と複雑性を有した一つの完結した宇宙として捉えられ、こうした複数性に対応するイメージとして、ハラウェイのサイボーグが用いられる。サイボーグは、身体と機械という異なる部分が内部のつながりを維持しつつも、それらが作用するための諸原理が単一のシステムを形成することはなく、一体性の観念が志向されることもない。分析視角の切り替えによって描かれるメラネシアの文化やそこで立ち現れる概念も、単に全体性の断片なのではなく、それぞれの間で類似のパターンが繰り返し立ち現れるという意味においてつながりを持つ。彼女は、自ら「メログラフィック」と形容する自身の散文的な論の運びによって、初発の原理や系統的理解によって導かれる情報や議論をあえて切断するような民族誌を実践している。

一方、80年代には近い未来に人間の知性をはるかに超えた人工知能が出現するというシンギュラリティ仮説が提唱されており、今日ますます注目される論点である。ユヴァル・ノア・ハラリは『ホモ・デウス　テクノロジーとサイエンスの未来』（2015）において、今日絶え間なく集積され、接続しあうビッグ・データによって、人間は脳と身体をアップグレードし、超人ないし神性を獲得した「ホモ・デウス」になることが可能になるという。全世界で800万部以上を売り上げた前作『サピエンス全史』（2011）では、石器時代から21世紀までの人間の歴史を振り返り、人間が世界を支配することができた理由は、あらゆる種のなかで人間だけが自らの幸福を追求するために、神や国家、貨幣や人権といった想像されたもの（虚構）を信じて行動することができたからだと述べる。『ホモ・デウス』ではこうした歴史観に基づき、17世紀にヒューマニズムを通じて世界の支配権が神から人間へ移ったように、数十年ほどの近い未来には、その権利はさらにデータへ移譲され、人間は自らの手に負えないほどに複雑化し巨大化したデータに支配されるようになるという未来を予測している。一方でハラリは、データと人間の本質的差異も指摘する。彼は、生き物はアルゴリズムであり、生命はデータ処理であるという考え方を背景とした工学や生命科学によって発展するデータが解明することのできない人間の特徴として、「意識」への注目を呼びかける。

参考文献

石倉敏明「今日の人類学地図　レヴィ＝ストロースから「存在論の人類学」まで」『現代思想』44巻5号、青土社、2016年。

飯盛元章「ポスト・ヒューマニティーズの思想地図と小事典」『現代思想』47巻1号、青土社、2018年。

奥野克己、石倉敏明編『Lexicon　現代人類学』以文社、2018年。

檜垣立哉『ドゥルーズ入門』筑摩書房、2009年。

芳川泰久、堀千晶『ドゥルーズ　キーワード89』せりか書房、2008年。

Badmington, Neil. *Posthumanism.* Palgrave, 2000.

近年急速に多様化し続ける地球環境の問題を背景として、人類学、倫理学、歴史学、宗教学、人文地理学等のさまざまな分野における「環境人文学」が発展しつつある。こうした複数の領域にまたがる学際的な環境へのまなざしは、1990年代以降の文学批評においても「エコクリティシズム」および「環境批評」として発展を遂げてきた。英文学におけるパストラルの伝統やロマン派の詩を対象とする英文学研究を源流として、初期のエコクリティシズムには文学作品における「場所」への愛着や「(原生) 自然＝ウィルダネス」に対する関心が強くあったが、そうした自然文学作品への過度な傾倒や「自然／文化」の二項対立等の問題点が保護主義的環境主義の正当性とともに徐々に問い直され、それに伴って従来の「自然」よりも広い主題を包含する「環境」へと関心領域が広げられてきた。現在も他のさまざまな理論や思想的潮流から影響を受けながら、従来のローカルな言説をグローバルな言説へと統合する歩みのなかで、環境と文学をめぐる議論と対話のプラットフォームが創造し続けられている。 [磯部理美]

第 8 章

環境と文学

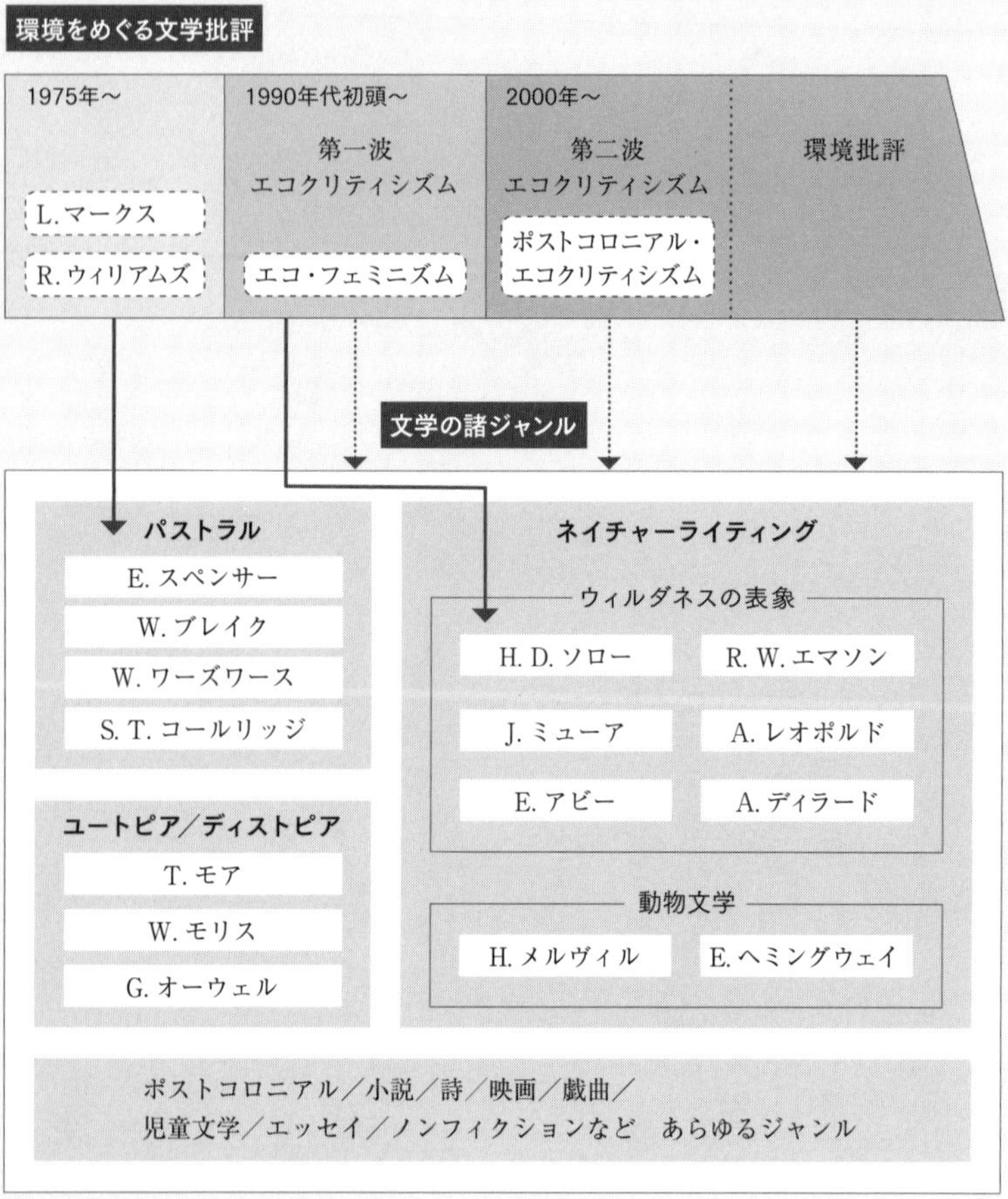
環境をめぐる文学批評
1975年〜
L.マークス
R.ウィリアムズ
1990年代初頭〜
第一波
エコクリティシズム
エコ・フェミニズム
2000年〜
第二波
エコクリティシズム
ポストコロニアル・
エコクリティシズム
環境批評
文学の諸ジャンル
パストラル
E.スペンサー
W.ブレイク
W.ワーズワース
S.T.コールリッジ
ユートピア／ディストピア
T.モア
W.モリス
G.オーウェル
ネイチャーライティング
ウィルダネスの表象
H.D.ソロー
R.W.エマソン
J.ミューア
A.レオポルド
E.アビー
A.ディラード
動物文学
H.メルヴィル
E.ヘミングウェイ
ポストコロニアル／小説／詩／映画／戯曲／
児童文学／エッセイ／ノンフィクションなど　あらゆるジャンル

人新世／環境人文学

２００２年、ノーベル化学賞受賞者であるドイツの大気化学者パウル・クルッツェンはこう述べた――人類の諸活動が地球全体の生態系や気候に対して甚大な影響を与えることによって、１万１７００年前に始まった完新世はすでに終焉を迎えており、私たちはいまや「人新世（Anthropocene）」に生きているのだ、と。人類が排出する二酸化炭素などの温室効果ガスが地球の平均気温や海面水位の上昇などの深刻な地球環境の変動を引き起こし、それに対する危機感が実証性をもって認識されつつあるなかで、こうした気候変動の人為的要因が地層に痕跡として残る新たな地質年代区分として提唱された人新世の概念は、化学、生物学、生態学といった科学領域だけでなく、社会学、歴史学、文学といった様々な分野の研究者のあいだで急速に広まっている。

温暖化の要因が人為起源であることや損傷された土壌や生物多様性の回復が困難であることなどの科学的事実を前にしてもなお、各国政府は一向に抜本的な気候変動対策に乗り出すことなく経済成長を求めており、こうした積極的な無関心に対する環境保護論者グレタ・トゥーンベリの抗議活動は全世界で大きな反響を呼んでいる。経済発展により地球の資源が搾取され続けてきた事実を踏まえると、クリストフ・ボヌイユとジャン＝バティスト・フレソズが指摘するように、歴史的概念としての人新世は地質学的な出来事であると同時に政治的な出来事でもある。彼らは、環境の異変や批判勢力を政治的に無力化し、耐久不可能なものを標準化してしまう「脱抑制」の歴史こそが人新世の歴史そのものであり、われわれに必要なのは、地球を少しでも居住可能《ハビタブル》な状態に維持し、人間の困窮の原因の除去や大災害の発生の抑制について学ぶことだと説く。

ナオミ・クラインは『これがすべてを変える　資本主義VS気候変動』（２０１４）において、人為起源の気候変動の元凶は資本主義型経済そのものだとし、経済発展を追求し続けることの不可避的な帰結こそが人新世の意味するところだと述べる。クラインは「採取／搾取主義」と呼ばれる地球との非相互的な関係が人新世と不可分であることを指摘した。クルッツェンとユージーン・ストーマーが「人間に起因するストレスに対抗して、生態系を持続可能性に導くべく、世界規模で認められる戦略を発展させることが、人類の将来の重大な任務のひとつとなる」と述べているとおり、人新世はサステナビリティやＳＤＧｓ（持続可能な開発目標）をめぐる議論とも関わる多様な観点から検討されるべき問題である。歴史家ディペッシュ・チャクラバルティは、人新世を考える上で、人間が自然に対して損傷を与えていることに対する批判という道徳的な観点と、人間の歴史を地球の生命の歴史の一部とみなすような存在論的な観点の二種類の考え方があると説く。彼は人新世を一様化・均質化を進めるグローバリゼーションの概念と対比させ、人新世が前提とする〈単一性〉、すなわち地球や人類を単一なものとして捉える点を指摘した［↓165頁 ポストコロニアル・エコクリティシズム］。

　人新世という概念が前提としているのは、人の手の入らない野生の自然の消滅や不在を示唆する〈ポスト自然〉という問題域であり、それにより、人間と自然を二元論的に捉えてきた近代西洋文化圏における人間観や世界観、さらには人間の理解や行動の基盤となる思想や理念の根源的な問い直しがなされている。こうした動きの背景には、１９６０年代から歴史研究をはじめとして人文学の諸分野において深められてきた環境研究を源流とし、２０１０年代以降に学際的な形で発展してきた「環境人文学（Environmental Humanities）」の存在がある。いまや多くの学問分野が「環境」の名を冠するなか、環境人文学は、データや統計などの実証的な方法に依拠する環境学では定量化されづらいような、人間と環境の関係の様相やその歴史的経緯をめぐる問い、自然や環境に関する価値観・倫理観を形成する文化的・哲学的・言語的枠組みを探る試みとして発展し続けている。こうした人文学諸分野を横断する対話は、「人間」という概念そのものや、その支えとしての世界の根幹について再考し、それを明確に表現し提示するための重要なアプローチだといえよう。

　人新世をめぐる議論は、多様な領域で発展する環境人文学と密接に絡み合いながら、われわれ人間が生きているこのリアリティへ向けた問いを突きつけ、人類が生存可能な土壌としての地球をめぐる逼迫した問題として展開し続けている。

エコクリティシズム／環境批評

太古の昔から、文学や芸術の領域においては自然環境や人間と環境の関係の描写につねに強い関心が向けられてきた。生態学《エコロジー》や哲学におけるエコロジカルな思想を取り入れた文学批評であるエコクリティシズム（Ecocriticism）は、文学および文学研究が環境への関心や配慮、あるいは環境をめぐる諸問題の理解や考察に大きく貢献しうるという信念のもと、近年急速に発展し続けている。自然との共感的関係の再認識に重きを置きながら多様な表現手法にみられる環境表象の考察・分析をおこなうエコクリティシズムは、文学の主体を人間から環境へと移行させ、従来の人間中心主義的な文学研究を環境中心主義的なものへと転換する流れを形づくったきわめて重要な批評潮流だといえよう。

1978年、ウィリアム・リュカートは「文学とエコロジー――エコクリティシズムの実験」において、文学の生態学《エコロジー》あるいはエコロジカルな詩学の意味をこめて、初めてエコクリティシズムという言葉を使用した。リュカートは、文学は蓄積されたエネルギーとして言葉を媒体として人の心から心へと循環すると説き、ゲーリー・スナイダーやウィリアム・フォークナー、W・ホイットマン、H・D・ソローなどの文学作品が生態系保全に対して重要な力を持つことを指摘した。

ローレンス・ビュエルはエコクリティシズムを、その多様化と対象の拡大を踏まえ、第一波と第二波に区別した。1990年代初頭に生まれ、アメリカでのASLE（文学・環境学会）の発足を基盤として発展した第一波エコクリティシズムでは、ネイチャーライティングをはじめとして、パストラル的想像力、ロマン主義詩人の伝統といった非・人間的自然（=ウィルダネス）を描く小説や詩などの作品やそこにみられる自然表象に強い関心が向けられた。こうした初期のエコクリティシズムには理論に対する抵抗がみられるが、その背景として、言葉の世界を「現実の反映」として捉える当時のエコクリティックの見方が、それを言語学的・イデオロギー的な構築物として捉えるポスト構造主義および脱構築の見方と相反するものであったことが考えられる[↓182頁 自然と文化]。

2000年代初めに登場した第二波エコクリティシ

ズムでは、より理論的姿勢からのアプローチがおこなわれるなかで、自然／文化の二元論をはじめとして従来の批評の視点および方法が問い直される動きが生まれた。グレッグ・ガラードなどにより批判の対象となった第一波エコクリティシズムの重要な問題点の一つは、ウィルダネスに対する過度な賛美の傾向であった。こうした動きにともない、エコクリティシズムでは自然を描いた文学だけでなく、大都市や産業化を題材とする文学にも強い関心が示されるようになる。

　また、インドの歴史家ラマチャンドラ・グーハは、1989年、アメリカを中心としたネイチャーライティングを批評対象としていた従来のエコクリティシズムに植民地化による環境の変遷を歴史化するトランスナショナルな視点を導入することの重要性を示した。これを出発点とし、旧植民地社会における植民地的遺産を分析するポストコロニアル研究を背景に、植民地化による場所の変貌に環境的視点を導入したポストコロニアル・エコクリティシズムが展開した。フランツ・ファノン、エドワード・サイード、エドゥアール・グリッサン、ガヤトリ・スピヴァクの理論が援用されながら、パストラルの読み直しをはじめとして、インド系イギリス人作家V・S・ナイポールやカリブ海出身のジャメイカ・キンケイド、J・M・クッツェーなどの作品読解がおこなわれている［↓165頁 ポストコロニアル・エコクリティシズム］。

　2005年にはビュエルによって社会におけるイデオロギーや制度と交錯するハイブリッドな領域としての環境を射程に入れる批評としてエコクリティシズムに代わる環境批評（Environmental criticism）という新たな名称が提唱された。2009年にはジョニ・アダムソンやスコット・スロヴィックにより、エコクリティシズムの第三波の方向性として民族性および比較／多文化主義的な視点を取り入れた批評方法が提案されたのち、ウルズラ・K・ハイザなどにより示された避難所的生態地域主義をはじめとする新たな批評傾向が見出された。さらに2012年にはスロヴィックによって第四の波とも捉えられる物質主義的傾向も分析されており、人新世という新たな時代を迎えた現在の視点からエコクリティシズムの歴史的潮流や今後の方向性が検討されている。

動物と人間／（脱）人間中心主義

　エコクリティシズムにおいて動物の表象はきわめて重要な役割を担ってきた。人間と動物は、つねに密接に関連付けられながらも、そのあいだには明確な境界が引かれ、その関係性の多様なありかたが文学をはじめとする芸術に表象されてきた。あらゆる動物のなかでもとりわけ文学的想像力を引きつけてきたのは、巨大な捕食生物であるといえよう。ハーマン・メルヴィルの『白鯨』（1851）、アーネスト・ヘミングウェイの『老人と海』（1952）といった海を舞台とした物語から、アーテスト・トンプソン・シートン、ラドヤード・キプリング、ゲーリー・スナイダーなどの作品において、鯨や狼、熊との遭遇の場面は自然と文化が対峙する契機として前景化されてきた。

　人文科学における動物についての議論がおもに対象としてきたのは、動物表象の文化的分析や動物の権利をめぐる哲学的考察といった動物と人間の関係性についての問いであろう。「動物の解放は、人間の解放でもある」――哲学者ピーター・シンガーは『動物の解放』（1975）においてこのような視座に立ち、人間と動物の関係、あるいは動物の権利そのものについての哲学的考察をおこなった[↓173頁 動物論]。もともと黒人解放運動に代表されるような「人種や性のような恣意的な特徴にもとづく偏見と差別に終止符を打つことを求める」解放運動を背景として書かれた本著作は、1970年代後半から活性化し、現在も世界各国でおこなわれている動物の権利運動の火付け役となった。

　また、イギリスの美術評論家ジョン・バージャーは論文「なぜ動物を観るのか？」（1980）において、動物園にいる動物がつねに見られるものと化し、人間の知識欲の対象となっていることから、動物と人間の関係性の中心に位置する「観察」という行為が権力の一形態であることを指摘した。20世紀半ば以降、ディープ・エコロジーをはじめとして人間中心主義に対する批判的考察が多くなされてきたなかで、こうした著作は脱人間中心主義を提唱する思想動向の重要な例だといえよう[↓173頁 動物論]。

　歴史学者リン・ホワイトは『機械と神』（1968）において、人間中心主義がもつ「人間の権利は人間以外の生物の権利に優先される」という思想について地球環境をめぐる諸問題との関係性から論じ、人間と自然の関係を再考するための重要な土台を築いた。「キリスト教は古代の異教および東洋の宗教とは絶対的に異なり、人間と自然の二元的対立関係をつくり出しただけではなく、人間が自分の目的のために自然を搾取・開発することは神の意志だということを強調した」――ホワイトは、中世ヨーロッパにもみられる環境破壊はこのようにキリスト教によって暗黙の前提とされ正当化されていた自然搾取からもたらされているとして、自然の上位に人間を置くキリスト教的思想の人間中心主義的な側面を指摘した。その後キース・トマスは『人間と自然界』（1983）において、近代における人間と動植物を含めた自然との関係に再注目しながら人間中心主義の思想がいかに形成されたかを論じた。

フェミニズム思想家としても知られるダナ・ハラウェイは、動物研究と植民地主義が類似関係にあることを指摘しながら霊長類学の歴史を分析し、猿や類人猿を観察する行為がヨーロッパにおける社会的・文化的規範の構築と深く関わっていることを明らかにした。ハラウェイによる『霊長類的ヴィジョン』（1989、未邦訳）は、領域を横断する画期的な動物表象の文化的分析として評価されている。さらにハラウェイは『伴侶種宣言』（2003）において、犬のような愛玩動物や馬のような使役動物を人間の「伴侶」として捉え、搾取ではない動物との共同的な親族関係を考察することから人間と動物の関係を再定義した［↓184頁 サイボーグ］。

また、教育学者の矢野智司は『動物絵本をめぐる冒険　動物‐人間学のレッスン』（2002）において、レヴィ＝ストロースのトーテミズム論やジョルジュ・バタイユの思想を援用しながら宮沢賢治などの作品にみられる「逆擬人法」を分析することをとおして、動物との出会いを必要とする人間の本質を多角的に探究している。矢野が人間学の本質を動物との関係をめぐる思想に見出し、動物を「人間が世界との関係を根本的に変容させる新しい次元の扉を開く鍵」として捉えているとおり、動物と人間との関係は、エコクリティシズムや環境批評の領域のみならず、あらゆる分野における自然と環境をめぐる諸問題と根源的に結びつく重要な主題であるといえよう。

ネイチャーライティング

エコクリティシズムは、自然環境と人間との対話や交流、共生をテーマとし、その過程で人間中心主義の再考を促していく「環境文学」を批評の対象としてきた。なかでも、未開拓の自然空間である原生自然、すなわちウィルダネスを記述するような一人称形式によるノンフィクション作品であるネイチャーライティング(nature writing)は、アメリカ文学における重要なジャンルの一つとなっている。ローレンス・ビュエルの区分による「第一波」エコクリティシズムでは、ウィルダネスの表象への着目、近代化が人間にもたらす弊害、あるいは自然と人間の関係についての省察が中心であり、こうした主題をもつ自然エッセイとしてネイチャーライティングがその関心の中心となっていた。

トーマス・J・ライアンは『この比類なき土地　アメリカン・ネイチャーライティング小史』(1989)において、ネイチャーライティングの主な特徴に以下の三点の要素を挙げている——博物誌に関する情報、自然に対する作者の感応、自然についての哲学的考察、である。ライアンはネイチャーライティングについて、自然に対して読者の注意を向け、読者のエコロジカルな意識を喚起するといった意義を見出している。

90年代以降様々な定義が試みられてきたネイチャーライティングであるが、文学ジャンルとしての認識が確立し、アメリカのアカデミアのカリキュラムに組み込まれ始めたのは20世紀後半であった。代表的なネイチャーライティングには、H・D・ソローが湖畔での独居生活を綴った『ウォールデン　森の生活』(1854)や、砂漠の自然を幻想的かつ神秘的に描きながら環境破壊の根源にある人間中心主義的な人間の優越性を問い直したエドワード・アビーの『砂の楽園』(1968)、水辺や山の四季の緩やかな変化を詩的に記述したアニー・ディラードの『ティンカー・クリークのほとりで』(1974)、北極圏の風景と人間の営みの歴史を描いたバリー・ロペスの『極北の夢』(1986)などが挙げられる。なかでもソローの『ウォールデン——森の生活』は、鉄道の開通した湖畔と森というアメリカ的トポスの矛盾を前景化し、四季の瞑想と自然経済をモデルとする社会への視座から進歩を賞賛する言説へのカウンター・ナラティブを形成しており、生態学的危機や自然との共生など、ネイチャーライティングの根幹をなす思想と感性が見て取れる。

ネイチャーライティングのなかには、自然との交感《コレスポンダンス》を描くものが多くみられる。環境文学研究において交感とは、自然と人間のあいだの照応、呼応、類似、一体化といった対応関係や、そうした関係を見出す感覚や思考を指す。これまでの交感論では、自然と人間のあいだにいかなる対応関係が構築されうるのかという視点から、様々な交感の可能性が考察されてきた。とりわけ、人間と自然、あるいは人間と人間ならざるものとのあいだの交感において、人間の感情や内面が自然の中に読み取られ、人間世界と外部世界の出来事とのあいだの照応関係が見出されてきた。近代的な感性にとっての交感概念の枠組みの形成に寄与したとされるソローや彼の思想に大きな影響を与えたR・W・エマソンは、作品において、自然を自己の内面を映す鏡、あるいは超越的な意味を読み込むための媒介として交感を描いたとされている。その一方で、アビーやディラードのような20世紀以降のネイチャーライターは、交感のもつ人間中心主義的な側面を認識し、交感を「他者」としての自然そのものと出会う契機として捉え、その限界をめぐる思索を通して自然に接近することを試みている。

アメリカの風土のもつ圧倒的な大自然が生み出した本ジャンルについては、そのアメリカ的特性が強調されてきたが、日本における交感研究も盛んにおこなわれている。野田研一は『交感と表象』（2003）において、自然と人間の交感的関係を記述するネイチャーライティングは、環境をめぐる諸問題に最も具体的に、永続的に、そして根源的に関わるジャンルであるとし、本ジャンルがより普遍的な意義を持つことを示唆している。山里勝己は『場所を生きる』（2006）において、場所の感覚を基軸とした考察からネイチャーライティングを「場所の文学」として再定義し、東洋と西欧の思想的融合性を示唆している。交感という視座をはじめとした自然と人間のコミュニケーションの問題は、現在多様な領域を横断する環境人文学において考察されつつある。

空間《スペース》と場所《プレイス》／場所の感覚

「身の回りの空間や環境に対し、個々の人間は意味を与えながら生きている」——地理学者エドワード・レルフは『場所の現象学』（1976）において、人間による「生きられた」経験による意味づけによって分節された空間として「場所」を捉え、場所と人間との関係を考察した。レルフは〈場所性《プレイスネス》〉を環境的、社会的、現象学的に複合的に構成される場所の性質として捉え、一方で、大量生産と商業主義が進んだ現代の消費社会においては場所が本来持っていた多様な意味や環境適合性が欠落しつつあることを指摘し、人間的規模を逸脱した大衆性をもつ場所について、「ディズニー化」、「博物館化」、「未来化」といった現代の〈没場所性《プレイスレスネス》〉の特徴を挙げながら考察した。これと同時期に発表され、この分野の代表作ともされるイーフー・トゥアンの『空間の経験』（1977）においては、空間《スペース》と場所《プレイス》は相互依存的なものであるとされ、個人的愛情、社会的関係、地理学的特徴など、人間的意味によって特徴づけられた空間として場所が捉えられている。トゥアンは空間に知識と価値が与えられることによって場所となるとし、人間の身体感覚による直接的経験によって特定の場所における「場所の感覚（sense of place）」が獲得されることを説いた。人間は場所との関わりのなかで、自らのアイデンティティを確立し、その場所についての詳細な知識や、そこでの記憶を蓄積する。場所の感覚は、人間と人間の生きる環境とのあいだの根源的な結びつきを意味する重要な概念だといえよう。

場所における人間の経験を描き続けてきた文学や芸術作品を対象とするエコクリティシズムでは、このように人文地理学において論じられてきた場所の概念につねに大きな関心が向けられてきた。とりわけ初期のエコクリティシズムでは、自らが居住し生活を営む場であるローカルな地域規模での場所への愛着をめぐる美学と倫理に価値が置かれていたため、ウェンデル・ベリーやゲーリー・スナイダーのような環境作家・批評家がもつそうした思想を基盤として、場所の自然環境を描くエッセイ、すなわちネイチャーライティングが大きな影響力を持っていた。その代表とされるのがH・D・ソローの『ウォールデン　森の生活』（1854）

である。ソローがアメリカのウォールデン湖畔に2年間定住するという形でローカリズムを提示したことが契機となり、特定の場所における長期間の経験がその土地の環境の理解において重要な要素であるとされるようになった。

　このように、「第一波」のエコクリティシズムにおいては、前述したような「生態《バイオ》（生命）地域主義《リージョナリズム》」的な思想に基づいて、ローカルな土地における場所の感覚に関する分析がなされていたが、その一方で、ジョン・ダニエルは、定住する場所をもたないことを好む作家としてエドワード・アビーやジョン・ミューアなどを挙げながら、場所の感覚を重視する従来の傾向の弊害を説いた。文学研究におけるグローバル化の進展とともに、ローカルな土地や地域的《リージョナル》なものに着目してきた従来のエコクリティシズムの視点に疑問が呈されるようになり、生物多様性の消失や気候変動といったグローバルな環境問題が議論されるなかで、エコクリティシズムにおける新たな視点の必要性が叫ばれた。2000年代初頭には、ポストコロニアル・エコクリティシズムをはじめとして、このようにローカルな言説とグローバルな言説を統合する試みがみられるようになった［↓165頁ポストコロニアル・エコクリティシズム］。

　エコクリティシズムの第一人者であるウルズラ・K・ハイザは、『場所の感覚と惑星の感覚』（2008、未邦訳）において、環境文学における場所の感覚についての議論に対し、その中心的基軸であったローカリズムの相対化にコスモポリタニズムの視座から取り組んでいる。ハイザはネーションやディアスポラ理論と環境文学との関わりを概観し、場所に近接した倫理観とグローバル化によって場所から断絶した文化の拮抗がみられる現在において、両者から解放されたものとしての「エコ・コスモポリタニズム」を環境をめぐる想像力によって導くことの必要性を説いている。

　人間と空間・場所をめぐるテーマは、このように文学のみならず地理学や哲学などの多様な領野における場所論や風景論と絡み合いながら理論的な広がりを見せているといえよう。

パストラル／ロマン主義／都市と田園

「羊飼い」のラテン語に由来し、牧歌、田園詩、牧歌劇を意味するパストラルは、古代ギリシアのテオクリトスから発した。そこで描かれる田園生活をさらに理想化した古代ローマのウェルギリウスによる『牧歌』（紀元前1世紀）は、山間の隔絶地アルカディアを舞台に自然・動植物・人間の完全なる調和の世界を描いた。その後ルネサンスの時代にイギリスに紹介された古典的パストラルの伝統は、エドマンド・スペンサーの詩『羊飼いの暦』（1579）やフィリップ・シドニーのパストラル・ロマンス『アーケイディア』（1590）などにより復活することとなった。

さらに、こうしたパストラルの伝統は田園文学としてウィリアム・ワーズワースをはじめとするイギリスのロマン派の詩人に継承され、ここからロマン主義文学が興隆することとなる。ロマン主義はヨーロッパ啓蒙主義に影響を受け、ウィリアム・ブレイクの詩やワーズワースとサミュエル・テイラー・コールリッジによる詩集『抒情民謡集』（1798）によって本格的に始まった。ブレイクは、牧歌の反体制的傾向、田園詩の反物質主義、イギリス叙事詩における価値観の伝統を幻想詩に取り入れ、脱常套的な自然詩を書いた。19世紀初頭には、G・G・バイロン、P・B・シェリー、ジョン・キーツなどの詩人によりロマン主義文学が発展を遂げた。18世紀の主流であった古典主義および新古典主義では個人の心的状況でなく普遍的なものの提示が重要視されたため、個人の体験としてではない自然美が描かれてきたが、その後のロマン派の詩人たちが描いたのは詩人の心的状況や場所を特定した自然界の姿であった。彼らはとりわけ、自然物と対峙する際に、その彼方に崇高な神の存在を感じ取っていた。

イギリスの批評家ウィリアム・エンプソンは『牧歌の諸変奏』（1935）において、パストラルを羊飼いだけでなく子どもや労働階級の生活を描いた文学を含めて拡大解釈し、ルイス・キャロルの『不思議の国のアリス』（1865）やプロレタリア小説もこの系譜に位置づけた。また、ウェールズ地方の労働階級出身であった批評家レイモンド・ウィリアムズは、『田舎と都会』（1973）におけるロマン派の詩やトーマス・ハーディの小説の分析を通し、相補的な概念としての田舎と都会のありかたを説いた。さらにレオ・マークスはアメリカにおけるパストラルの思想とイデオロギーの意義を歴史的、社会的、文学的視点から論じるなかで、H・D・ソローに代表される反体制的パストラル思想が1960年代、70年代の左派的動向に受け継がれていることを指摘した。また、テリー・ギフォードは、ワーズワースの「マイケル」（1800）のように伝統と現実の乖離のなかでパストラルの不可能性を語る作品をアンチ・パストラルと呼び、さらに、その後都市文明の発達やテクノロジーの進歩から都市と田園の区別があいまいになった時代のソロー、ジョン・ミューア、アドリエンヌ・リッチによるパストラルをポスト・パストラルと呼んでいる。

ロマン派研究にエコロジーの観点を初めて本格的に取り入れたイギリスの批評家ジョナサン・ベイトは、18世紀イギリス文学における古典主義的・ロマン主義を概観したのち、英文学研究におけるエコクリティシズムへの関心を呼び起こす契機となった『ロマン派のエコロジー』（1991）においてワーズワースなどのロマン派に環境意識の源流があることを明らかにした。これは新歴史主義がロマン派の詩を政治的現実から自然への逃亡を示す「イデオロギーの詩」だとしたことに対する反論として書かれたものである。ここでベイトは自然への関心を政治的理由に紐づける解釈に疑問を呈し、エコクリティシズムにおける土地倫理や場所の感覚といった重要な概念とともに、環境意識の伝統にワーズワースが与えた多大な影響を読み取っている。これをはじめとして、脱構築的読みによってロマン派特有の自然把握は世界の有機性を強調するエコロジー思想を先取りしていたとする解釈がなされた。ベイトはさらに『大地の歌』（2000、未邦訳）において環境詩学という概念を提唱し、ロマン派の詩を詩的言語を通して「人間精神と自然の想像上の再結合」をもたらすものとして捉え直した。こうした環境批評の視点の導入により、現在もパストラル文学をはじめとした都会と田園の文学の再検討がおこなわれている。

ディープ・エコロジー／生態《バイオリージョナリズム》（生命）地域主義

ノルウェーの哲学者A・ネスが1973年に提唱した環境思想の一つであるディープ・エコロジーは、生態圏において本質的な関係は網状に絡まりながら広がっており、個々の生命としての有機体はその網の結び目である、といった「生態圏平等主義（biospherical egalitarianism）」に基づく考え方を主張の核に据えている。ネスは、環境汚染や天然資源の枯渇に対する懸念に動機づけられた、人間の利益になるものとしての自然の保全を目的とした環境運動は浅い（shallow）もの、すなわちシャロー・エコロジーだとして批判の対象とした。それに対置されるものとして提唱されたディープ・エコロジーは、環境に対するこうした人間中心主義的な態度を生態中心主義的な方向へと転換させるものとして現代社会の価値体系を問い直し、環境問題に対する新たな価値観の構築を促している。

ネスによれば、生態圏は有機生物だけでなく無機物の環境も含めた全体によって構成されており、個々の存在は相互に関係し合っている。こうした生態系のありかたにおいて、個々の自己は独立したものではなく他の存在と相互依存関係にあるため、そうした全体的な存在である他者と一体化／同一化することによって、自己／自己意識の範囲を拡大し、それにより自己の実現（成長）を図ることができる。こうした人間の繁栄としての自己の実現は、他の存在の利益を増やすようなものであるべきである。――ネスはこのような「拡大自己実現」論のなかで、大きな生態系の環のなかに同一化した自己のありかたを捉えている。

ディープ・エコロジーに密接に関わるものとして、初期のエコクリティシズムが関心の中心としてきた「生態《バイオリージョナリズム》（生命）地域主義」が挙げられよう。ディープ・エコロジー運動と同じく1970年代前半にその取り組みが始められた生態地域主義は、その後北米各地で多様かつ明確な方向性をもつ運動として発展してきた。「生態《バイオリージョン》（生命）地域」とは、その土地に根差して生きている人々が捉えた自然環境の特徴によって境界が決定される地域、すなわち、北アメリカに多くみられる行政のための直線的に区切られたものではなく、生態系的まとまりをもつ地域のことを指す。生態地域主義はこのような生態地域内に、生態系にとって健全で永続可能な自給に基づく地域経済や、自治の精神が生かされた分権的な政治システム、あるいはその土地独自の文化を育てていこうとする。こうした取り組みはディープ・エコロジー運動の思想や考え方を実際の営みに応用したものとしても捉えられている。

このように初期のエコクリティシズムと深い関わりをもち、大きな影響を与えたディープ・エコロジーであったが、やがて多くの批判を受けることとなる。自然を過度に神秘化する傾向の指摘や、ユートピア的で国家・思想・経済における具体的な理論がないとする批判、さらに、自然との一体感を通じて変容する自我の達成が強調されることについて、生態系に基づいた倫理あるいは自然に敬意を払う態度とは異なり、実際には人間中心主義的ではないのかという疑問も呈された。また、ハイデガーの思想との類似性からナチズムへと関連付けられ、そのファシズム的側面（エコファシズム）に対する非難もあった。なかでもとりわけ環境破壊の元となっている政治・経済的な搾取の構造に関する視点の欠如を指摘するソーシャル・エコロジーや、女性の抑圧への意識の欠如を指摘するエコフェミニズムによる問題提起は、ディープ・エコロジーを再考するための重要な動きだといえよう。

また、ティモシー・モートンは『自然なきエコロジー』（2007）において、人間がいかにして場所を経験するかを問うことの重要性を主張し、対象を理念的な形式へと押しこめて美化するのではなく、大地に立つ人間の存在を受け入れる倒錯的な態度として、ディープ・エコロジーの態度と相反する「ダーク・エコロジー」を提唱している。モートンはエコロジーを従来のように自然環境という客体的な対象として捉えるのではなく「とりまくもの」として概念化し、ロマン主義が描き、ディープ・エコロジーが回復しようとしてきたようなエコロジーの概念から「自然」を取り除くことによってそれを新しく作り直すことを目指している［↓179頁 オブジェクト指向存在論］。

このように、ディープ・エコロジーは、人間と環境の関係を探究し続けるためのプラットフォームとして、多様性に富む文化的・宗教的・哲学的な広がりをみせながら検討され続けている。

土地倫理《ランド・エシック》

北米原生自然保存運動および生態系管理林学の創設者であるアルド・レオポルドは、原生自然への慈愛と共感を瑞々しい感性で綴り、自然保護のありかたに対する深い考察をおこなった『野生のうたが聞こえる』(1949)に収録されたエッセイにおいて、環境を「人間がコントロールする商品」ではなく「人間の所属する共同体」として捉え、これまで人間とその共同体にのみ適用されていた倫理則を土地(=生態系)の範囲まで拡張すべきだと主張した。人間の利益のみを重視した土地利用を批判し、人間と生態系の調和を訴えることの土地倫理(land ethic)の思想は、「共同体という概念の枠を、土壌、水、植物、動物、つまりはこれらを総称した『土地』にまで拡大した場合の倫理」であり、これにより人間という種の役割を「土地という共同体の征服者から、単なる一構成員、一市民へと変える」。レオポルドはダーウィンの進化論と生態学《エコロジー》に基づいて土地倫理を提案し、このように人間と生態系全体の関係性に倫理を適用することは、生態学的に必然性のある社会的進化であると説く。科学的な生物共同体概念に倫理の前提としての人間社会の共同体概念を組み込むことによって初期の生態学理論に倫理的視点を融合させ、土地倫理ないし環境倫理の考え方そのものを形づくったレオポルドの思想は、土地利用に関する近代以降の人間中心主義的な見方を、全体としての種、エコシステム、生物コミュニティ、生命圏、そして生物の諸個体に道徳的価値を認める「生態中心主義《エコセントリズム》」的な見方へと転換させ、環境保護活動を道徳性の領域へと移し替えることにより、やがて1970年代から欧米を中心に展開する環境倫理学に多大な影響を与えた。

レオポルドの思想を継承したとされるJ・ベアード・キャリコットは、生態中心主義的な環境倫理を「人間以外の自然物と全体としての自然に対する人間の行動の直接的影響を考慮に入れる環境倫理」と定義した上で、レオポルドの形而上学的ないし倫理学的前提に哲学的な基礎を与えることにより、土地倫理の概念基盤を明確化した。また、彼はネイティヴ・アメリカン諸部族の文化における宇宙観がレオポルドの土地倫理と強い親近性をもっていることを論じた。

ユートピア／ディストピア／エコトピア

トマス・モアの『ユートピア』（1516）において架空の理想的共和国の名前として登場した「ユートピア」という語は、一般に、所与の空間としての理想郷や楽園と異なり、人が環境に働きかけて築く理想的な社会や共同体のことを意味する。ウィリアム・モリスの『ユートピアだより』（1890）は、科学技術を排した牧歌的な未来都市としての22世紀ロンドンを舞台として、社会主義革命が成就した後の理想的な社会像を描いた。こうしたユートピア文学とは対照的な暗黒世界を描くディストピア文学には、資本主義と効率化の行き過ぎた管理社会を描いたオルダス・ハクスリーの『すばらしい新世界』（1932）、核戦争後の機械文明による人間否定と環境破壊に対する恐怖を描いたジョージ・オーウェルの『一九八四年』（1949）などが挙げられる。

ユートピアあるいはディストピアを描く文学には、『ハーランド』（1915）のシャーロット・パーキンズ・ギルマン、『所有せざる人々』（1974）のアーシュラ・K・ル＝グィン、『洪水の年』（2009）のマーガレット・アトウッドなど、とりわけ女性SF作家によるものが多く挙げられる。

生態学的《エコロジー》ユートピアを描くアーネスト・カレンバックの『緑の国エコトピア』（1975）において登場した「エコトピア」という語は、現在では人間と地球環境が調和した理想社会を実現する目標としても用いられる重要な概念となっている。今日のエコクリティシズムにおいては、ユートピア／ディストピアの概念だけでなく、こうしたエコトピアのテーマの考察とともに、ネイチャーライティングやSF作品を含めた多様な文学作品における環境格差や環境正義といった問題についての議論が進められている。この分野に関する重要な研究としては、ルイス・マンフォードのユートピア論やクリシャン・クマーの『ユートピアニズム』（1991）、エコフェミニズムの立場からユートピアを環境保護思想と絡めて論じたキャロリン・マーチャントの『自然の死　科学革命と女・エコロジー』（1985）、スコット・スロヴィックほかの『エコトピアと環境正義の文学』（2008）などが挙げられよう。

エコフェミニズム

1974年、フランスのフェミニストであるフランソワーズ・ドボンヌは、著書『フェミニズムか死か』において、エコロジカルな革命を起こす主体としての女性の可能性を語るに際して「エコフェミニズム」という語を初めて使用した。従来の生態学《エコロジー》にジェンダーの視点を導入したこの動きは、アメリカをはじめとして大きく展開している。女性たちが木に抱きついて森林保護を主張したインドの「チプコ運動」や、ワンガリ・マータイが中心となり数千本の木を植えることを通して環境保護および女性の社会参加の推進を目指すケニアの「グリーンベルト運動」のように、世界各地で様々な運動が実践されている。

80年代のエコフェミニズムでは、女性に対する支配と自然に対する支配を重ね合わせ、その構造が家父長的文化の遺物であるという見方から、女性と自然が概念的に結びつけられてきたこと、女性の方が環境についての知識や環境負荷が多いことなどを軸として多岐にわたる主張がなされた。

90年代以降には、「文化／自然」、あるいは「男性／女性」の二項対立の解体(＝脱構築)や、「女性」というカテゴリー内における人種や貧富の差などの多様性に対する主題化がおこなわれた。なかでもセクシュアリティの多様性に着目し従来のエコフェミニズムがもつ異性愛主義の規範性を批判的に問い直す動きとしてクィア・エコフェミニズムが特筆に値する。グレタ・ガードは「クィア・エコフェミニズムに向けて」(1997)においてエコフェミニズムにセクシュアリティの視点を導入し、「男性／女性」、「人間／自然」、「異性愛者／クィア」といった二項対立の解体の必要性を主張した。こうしたクィア・エコフェミニズムの動きは、環境正義とジェンダー・セクシュアリティの接点を主題化したR・スタインによる論考のアンソロジーや、R・アザレロによるH・D・ソロー、ハーマン・メルヴィル、ウィラ・キャザー、ジューナ・バーンズの環境文学作品のクィア的視点からの再解釈をはじめとした文学研究において展開しており、小説のみならず演劇や詩など多様な領域にわたって作品や批評を生み出し続けている [→233頁 フェミニズム運動と文学への影響]。

進化論／ダーウィニズム

19世紀の生物学者チャールズ・ダーウィンが『種の起源』（1859）で展開した進化思想の核心は、スティーヴン・ジェイ・グールドによれば、以下の3点である――（1）生物には変異があり、それは子に遺伝される。（2）生物は生存できる以上に多くの子や卵を産むので、必然的にそこで生き残るための生存闘争が発生する。（3）生存闘争を潜り抜けられるのは、おおむね所与の環境に適した変異をもつ個体であり、よってそうした有利な変異が遺伝によって種の内部に蓄積されてゆく。この「自然選択」の機構こそが、新しい種を生み出す源である。

自然が神によって創られた世界であるとする従来の「自然神学」を否定し、自然を完全な唯物論的見地から説明したダーウィンは、自然は環境と生物との相互関係に基づいて形成される所与の目的をもたない世界であると主張した。彼の進化思想は、英国国教会が権威を保持していた当時のイギリスにおいて当然視されていたヨーロッパの伝統的な人間観、すなわち「人間は神によって創造された」として他の生物に対して人間を特権化するキリスト教的人間像に大きな変更を迫るものであったが、やがて環境をめぐる思想に大きな影響を与えることとなった。

生物学者リチャード・ドーキンスは『利己的な遺伝子』（1976）において、人間は遺伝子が操る「乗り物」にすぎず、生存と繁殖の点において遺伝子によって進化させられてきたのだとして、ダーウィンの進化論の基本原理である「適者生存」を踏まえながら、生物の個体でなく遺伝子に視点を移した理論を展開した。

2000年代になってデイヴィッド・バラシュやジョセフ・キャロルによりダーウィニズム的視点からの文学作品読解のアプローチとして提唱された「文学的《リテラリー》ダーウィニズム」は、エコクリティシズムにおける新しい文学批評の手法として捉えることができよう。キャロルは文学的営為を人間が進化の過程における適応によって獲得した性質の一つとし、進化心理学の観点から文学作品に人間の種としてのありかたを読み取ろうとしたが、これは本質主義にすぎないとする批判も寄せられた。

原爆文学／核文学

戦後日本の文学史において、小説や詩、エッセイ、評論など、あらゆる文学の領域にわたって書き継がれてきた原爆文学は、核についての深い自覚と意識の形成を支えながら、戦争や原爆をめぐる問いを投げかけ続けてきた。原爆文学の出発期は、占領軍の検閲や生活に追われた人々の無理解の中で、被爆作家にとって厳しい時代であった。広島に在住、あるいは疎開していた文学者である原民喜、大田洋子、峠三吉、栗原貞子らによって書かれた原爆文学は、おもに復興する戦後社会の中で生きる被爆者を主題としていた。代表的作品として、原民喜の『夏の花』（1947）、『鎮魂歌』（1949）、『心願の国』（1951）、大田洋子の『屍の街』（1950）、栗原貞子の『ヒロシマというとき』（1976）などが挙げられる。1952年4月28日に対日講和条約が発効されると、占領軍の検閲から解放され多くの人々が原爆や被爆の実態を語り始める一方で、被爆体験を持たない作家が原爆を作品のテーマとするようになる。当時の代表的作品には、阿川弘之の『魔の遺産』（1954）、川上宗薫の『残存者』（1956）、井上光晴の『地の群れ』（1963）、堀田善衛の『審判』（1963）、いいだもの『アメリカの英雄』（1965）、井伏鱒二の『黒い雨』（1966）など、原爆を軸にして戦後の日本社会を批判的に対象化した作品が挙げられる。また、林京子の『祭りの場』（1975）など、被爆当時子どもであった作家たちが自らの体験を元に書いた作品も、被爆者としての人生における人間の尊厳に対する問いを孕みながら、戦後の歴史の歩みの裏側にある重要な側面を浮き彫りにしているといえよう。

その後、小田実の『HIROSHIMA』（1988）が原爆を反人間的なものだとし、核による放射能汚染の現況を告発する一方で、外国文学においても核戦争に対する恐怖や核戦争後の世界を表現した作品が「ヒロシマ・ナガサキ」の事実を下地とした核文学として誕生してきた。原爆文学に関するとりわけ重要な集成としては、文学者たちによる反核運動の一環として編まれた『日本の原爆文学』（1983、全16巻）が挙げられよう。

震災と文学

阪神淡路大震災、あるいは巨大台風や豪雨といった災害は、自然に対する人間の無力さと同時に、人間が生きている土台そのものが崩れやすく脆くなっていることのリアリティを突きつけた。人新世をめぐる議論が急速に展開している現在において、そうした人間をとりまく環境の脆弱性が露呈するなかでの人間の「生」をめぐる思索は、文学においてどのように表出してきているのだろうか。また、現代の文学者たちは、震災後、どのように文学の役割を意識してきたのだろうか。

２０１１年3月11日の東日本大震災および福島第一原子力発電所の事故から九年が経ったが、今もなお、多くの震災後文学が生まれ続けている。震災直後に俳人の長谷川櫂が『震災歌集』（２０１１）を発表した後、多くの作家たちの失語状態に風穴を開けたのは、『群像』に掲載された川上弘美の「神様２０１１」（２０１１）である。原発事故から数年を経た被爆地域を舞台としてそこで暮らす人々の日常に起こった変化を描く本作は、１９９３年の川上のデビュー作「神様」に加筆改変を加えた形で発表された短編小説である。作品中では事故が「あのこと」としてのみ提示され、それが「防護服」や放射能を示唆するような描写から原発の爆発だと理解できるように書かれており、人間も熊もかつてのように共生できなくなった世界を描き出す。その後発表された高橋源一郎の『恋する原発』（２０１１）は、被災地での「チャリティーＡＶ（アダルト・ビデオ）」を製作する男たちを描き、その斬新なテーマをとおして震災後の「正しさ＝正義」の言説に対する抵抗を表現し、議論を巻き起こした。翌年、高橋は『非常時のことば　震災の後で』（２０１２）において、震災以降の「ことばを失う」体験から、石牟礼道子の『苦海浄土』（１９６９）などの文学作品の引用・参照をとおして「ことば」の本質に迫り、文学の可能性を逆説的に示そうとしている。

その翌年には、想像力のなかだけで聞こえるラジオ番組をめぐって震災後の生と死という主題を描き出したいとうせいこうの『想像ラジオ』（２０１３）が発表され、多くの反響を呼んだ。また、大江健三郎による原爆をテーマとしたノンフィクション作品『ヒロシマ・ノート』（1965）にならって題された手記である『フクシマ・ノート』（2013）がフランス人作家ミカエル・フェリエにより発表され、震災の体験の仔細な観察と記録として評価された。放射能汚染により切断された日常生活の様相を記録した本作をはじめとして、「フクシマ」と称される福島の原発事故の後には、このように原発を作品のテーマとした原発文学も多く生まれた。「ヒロシマ・ナガサキ」を起点として始まった「核時代」における原発文学は、歴史的観点からの検討がおこなわれるなかで、とりわけ反原発／反核運動との密接な関係が示唆されている。

大震災および原発事故により、生態系の壊滅をともなう大規模な環境破壊、すなわち「エコサイド」の脅威に対する意識も強く喚起され、ここから、自然災害のみならず放射能汚染や公害病などの人的災害を扱い前景化することで環境破壊をめぐる人間活動の犯罪性に着目するエコサイド文学の系譜として捉えられる作品も生まれてきたといえよう。辺見庸の『青い花』（2013）や津島佑子の『ヤマネコ・ドーム』（2013）など、震災後文学においては破滅後の世界を踏破する者の意識の流れを書き留めたポスト・エコサイド時代のネイチャーライティングも書かれている。

また、このように震災後の日本社会や原発、放射能汚染を直接的なテーマとする作品だけでなく、南九州の離島を舞台として「土地と喪失」というテーマを描いた梨木香歩の『海うそ』（2014）のように、震災をめぐる出来事に影響を受けた作家自身の深い思索が込められた作品も多く生まれている。

人間の世界がそれをとりまく世界によって揺さぶられ、浸食される事実を改めて突きつける震災は、人間中心主義的に形成されているリアリティへの感覚を改変させるような出来事として捉えることができる。「ヒロシマ・ナガサキ」の後に生まれた原爆文学を背景とし、〈ポスト3・11〉の新たな環境文学として大きな役割を担う震災後文学および原発文学は、現代の人間をとりまく環境の脆弱性、あるいは原発や核をめぐるグローバルな問いを考える上で、エコクリティシズムにおいても今後十分に検討されるべききわめて重要なトポスとなっている。

参考文献

小谷一明ほか編『文学から環境を考える　エコクリティシズムガイドブック』勉誠出版、2014年。

塩田弘、松永京子ほか編『エコクリティシズムの波を超えて　人新世の地球を生きる』音羽書房鶴見書店、2017年。

ジョイ・A・パルマー『環境の思想家たち（下）　現代編』須藤自由児訳、みすず書房、2004年。

山下昇、渡辺克昭編『二〇世紀アメリカ文学を学ぶ人のために』世界思想社、2006年。

ローレンス・ビュエル『環境批評の未来　環境危機と文学的想像力』伊藤詔子ほか訳、音羽書房鶴見書店、2007年。

フロイトによって生み出された精神分析はイギリス・フランス・アメリカなど各国に広まり、臨床知としてそれぞれの国で独自の発展を遂げた。それと共に、構造主義やフェミニズム、マルクス主義などの他の領域との交流により思想としても深化し、人種、階級、ジェンダー、セクシュアリティといった諸概念を心と身体の視点から読み解くための欠かせないツールとなって行く。さらに80年代以降には、悲惨な出来事に対する証言の（不）可能性を主題としたトラウマ理論が発展を見せる。他方で、フロイトが盛んに文学テクストの中に自身の理論の正当性の証左を求めていたという事実からうかがえるような、文学と精神分析とのつながりも見逃せない。精神分析を通じた文学批評は、フロイトの時代以降、テクストへの精神分析の単純な適用から、「読む」という行為の意味自体を問う批評へと深化を遂げていった。精神分析をめぐる議論の歴史を振り返るとき、臨床知と思想と文学批評の三者のかかわりあいを見ることができるだろう。 ［森田和磨］

第9章

精神分析と文学

精神分析と文学

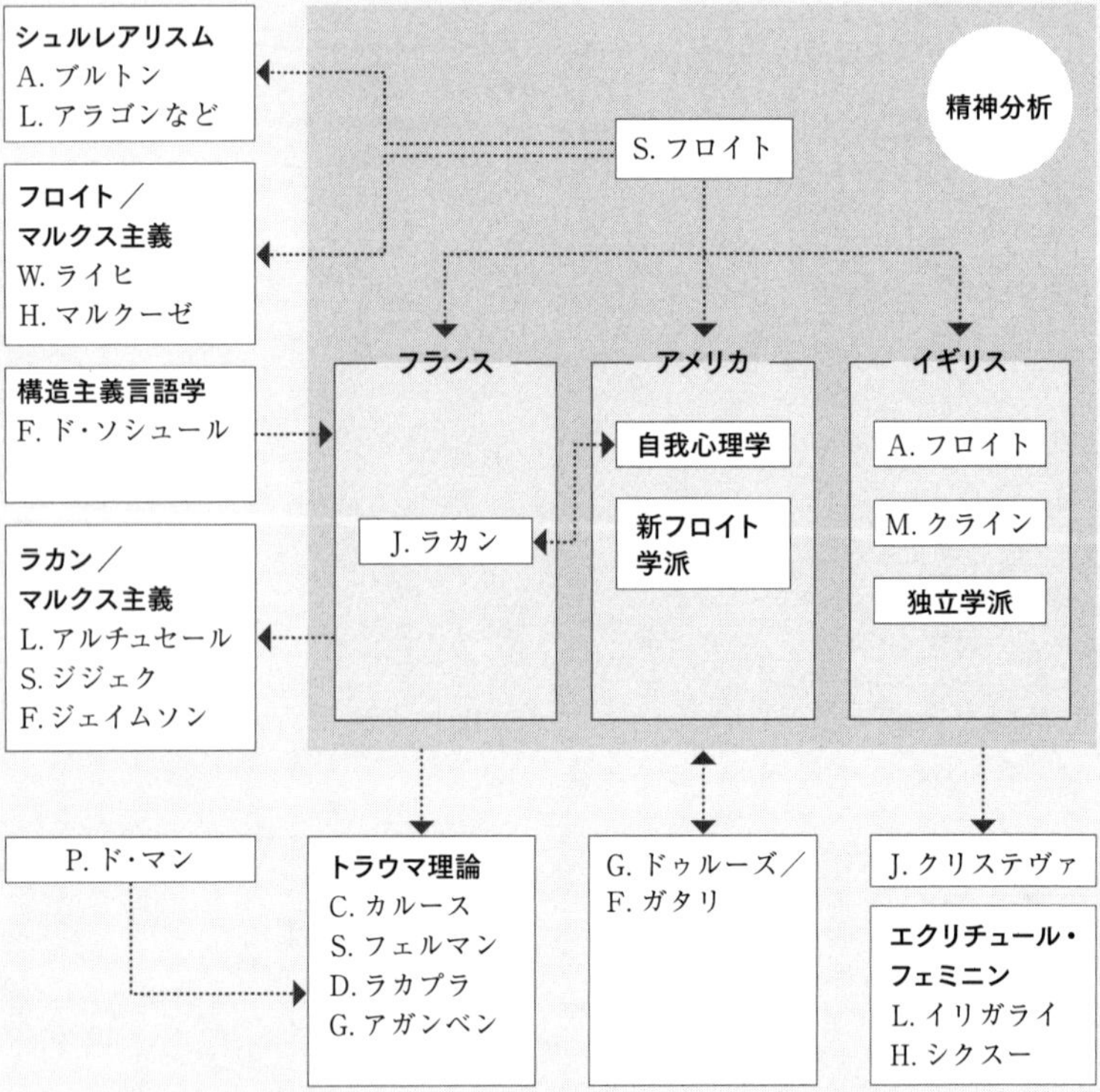

精神分析
S. フロイト
シュルレアリスム
A. ブルトン
L. アラゴンなど
フロイト／
マルクス主義
W. ライヒ
H. マルクーゼ
構造主義言語学
F. ド・ソシュール
ラカン／
マルクス主義
L. アルチュセール
S. ジジェク
F. ジェイムソン
フランス
J. ラカン
アメリカ
自我心理学
新フロイト
学派
イギリス
A. フロイト
M. クライン
独立学派
P. ド・マン
トラウマ理論
C. カルース
S. フェルマン
D. ラカプラ
G. アガンベン
G. ドゥルーズ／
F. ガタリ
J. クリステヴァ
エクリチュール・
フェミニン
L. イリガライ
H. シクスー

ジグムント・フロイトの思想

精神分析の創始者として知られるオーストリア出身の心理学者。催眠カタルシス法による神経症患者の治療から出発したが、やがて催眠術を用いずに患者の頭に浮かんだ考えをすべて話させることで無意識に抑圧されている性的欲望の意識化を目指す自由連想法に移行し、そのことが彼の精神分析の起点となった。この学問は、神経症治療の必要性から生み出された革新的な人間認識の学として理解できる。

彼の精神分析の中心をなすのは、無意識の世界の探求である。主著『夢解釈』(1899)では、抑圧された欲望の成就としての夢の分析法を体系化している。睡眠中の自我の抑圧機能の低下に伴い、普段抑圧されている無意識の欲望が夢として顕在化するが、夢検閲による歪曲を受けておりそのままの形では現れないため、夢の顕在内容から潜在的思考を読み解く作業が必要になる。その他、『日常生活の精神病理学』(1901)では、言い間違え、ど忘れ、なくしもの、などの失錯行為、『機知』(1905)ではおかしみを生み出す機知の中から無意識の働きを読み取っている。

さらに、フロイトの仕事の中で中心的な位置を占めているのが、性欲概念への取り組みである。彼は神経症の治療の中で性欲の抑圧が症状の原因となっていることを発見したが、そのような病因形成の根源を探っていくと、患者の幼年期にたどり着くことに気がついた。このことから得られたのは、幼年期から性機能が重大な現象としてあらわれてくるという洞察であり、その核をなすのがエディプス・コンプレックスという概念である。これには2種類がある。ポジティブ・エディプス・コンプレックスは、幼児が異性の親に対して抱く愛着、同性の親に対する敵対心、罪悪感の複合体である。フロイトが特にこの概念の対象として想定していた男児を例にとるなら、男児は母親に対して近親相姦的な欲望を抱き、父親の占めている地位を占めたいという願望を感じるが、父親から去勢されることへの不安からそのような欲望を断念し、父親に同一化し男性化の道を歩む。一方、ネガティブ・エディプス・コンプレックスでは、同性の親に愛着が向けられ、異性の親に敵意が向けられる。この場合、例えば、男の子は父親に愛されようとして母親に同一化することになり、同性愛的傾向が強くなるとされる。フロイトにとって、エディプス・コンプレックスの解消のされ方は、性格、性同一性、神経症の形成の重要な要因であった。さらに彼は、幼児の発達の段階を「口唇期→肛門期→男根期→潜伏期→性器期」というふうに区分し、性器的な性愛が獲得され自分以外の他者を性欲の対象とするまでの過程を描いている。彼の思想はしばしば「汎性欲主義」と呼ばれるが、「性」を「性器」から切り離し、広義の快追及の身体機能、情愛や親しみを含めた形で意味内容を拡充することで、子供や「倒錯者」の性活動をも理解の対象とすることがめざされていた。

意識、前意識、無意識という区分（第一局所論）により心の構造や性的葛藤の仕組みを理解していたフロイトであったが、『自我とエス』（1923）において自我、エス、超自我、という新たな構造理解（第二局所論）が打ち出された。エスが欲動に支配され快原理にのみ従う領域であるのに対し、エスから分化した自我は理性や分別といえるものの代理であり、「エスならびにエスの意図に外界の影響がきちんと反映されるよう努力し、エスのなかで無際限の支配をふるっている快原理を現実原理に置き換えようとする」。それに対して超自我は人間の倫理的要求を代表するものであり、エディプス・コンプレックスの克服の過程で両親の道徳的な良心が内面化されたものである。エスの表面に張り付いた「身体的自我」としての自我が、現実との出会いによって形成され、エスの欲動、超自我の道徳的要求にさらされているというこの構造モデルは、性的欲動と外界の道徳規範との間のせめぎあいから葛藤を理解していた従来のモデルをより精緻化ないし複雑化したものであったが、ラカンのようにこれを第一局所論からの理論的後退とみなす立場もある。

他にも、文明論、宗教論、芸術論、トラウマ論、メランコリー論、ユダヤ人論など、その仕事は多岐にわたるが、彼が自らの経歴や思想や精神分析の動向を語った「みずからを語る」（『フロイト全集18』所収）という文章が、広大な彼の理論の主要部分を見わたすための案内書として便利である。

ジャック・ラカンの思想

フランスの精神分析家。「フロイトへの回帰」をスローガンに掲げ、構造主義言語学や記号論の成果を取り入れて独自の精神分析理論を構築した。自我の自律性や統合性を強調する自我心理学と対立し、主体の核が外部に存在することを一貫して主張したことが特徴的である。彼の文章は言葉遊び、造語、記号、数式を織り交ぜたきわめて難解なものであるが、その華麗な理論体系は熱狂的な追随者を生み出した。

最初期の成果として知られているのが、「鏡像段階」理論である。「鏡像段階」とは人間の生後6～18ヵ月ほどの時期を指し、この時期に神経系の未熟さゆえにばらばらの身体イメージしか持たなかった乳児は鏡に映った自分の姿に同一化することで統合的な自己像を獲得していく。しかし、このように自己像を外部から与えられたという始原的な体験は、人間を不安定な状態に置くことになる。つまり、自己を外部の他なるものとして経験するしかないわけであり、自己の支配権をかけて鏡像との闘争を余儀なくされる。この段階は、彼による現実世界の区分である、想像界・象徴界・現実界の中では、想像界に対応するものである。想像界は心的イメージの世界であり、そこに住まう限りは乳児期の母子関係のような主客未分の状態の中でイメージに駆りたてられるように生きるしかない。そこに介入するのが、「父」である。幼児は「父」から象徴的な去勢を施されることで、言語の世界たる象徴界に生き始める。その際、言語では語りえぬものは、現実界へと廃棄され堆積していく。この三つの世界は別個に存在するのではなく三つの輪として結び合わさっているとされる（ボロメアンの輪）。

以上のような想像界・象徴界・現実界という三つの世界のうち、象徴界に焦点を当てることでラカンの構造主義者としての側面を理解することができるだろう。象徴界とは、シニフィアンからなる世界である。この部分を少し詳細に検討してみよう。フェルディナン・ド・ソシュールの言語理論における、シニフィアン（意味するもの）とシニフィエ（意味されるもの）という区分において、この二つの間には必然的なつながりはない。例えば、「リンゴ」というシニフィアンはある特定の果物を指すものとして存在しているとされるが、その果物は場所を英語圏に移せば"apple"というシニフィアンによってあらわされるため、実際はシニフィアンとシニフィエの間の対応関係は恣意的なものである。「リンゴ」というシニフィアンがその意味内容を獲得するのは特定の果物との間のつながりを通してではなく、日本語の体系のなかで「ブドウ」や「オレンジ」などの他のシニフィアンとの間の差異を通して独自の位置を定めることによってである。すなわち、複数のシニフィアンの相互関係によって意味は発生する。幼児が去勢を通過して象徴界に入っていくとき、その身を投げ出すのはシニフィアンの連鎖のただなかである。そのようにすることで独語的な世界を脱して他者とのコミュニケーションが可能になるが、意味の世界からはみ出す要素としての主体の存在は残りかすとして破棄されてしまう。シニフィアンの中でも、去勢を印す特権的なシニフィアンは「ファルス」と呼ばれる。

ラカンのシニフィアン観が最も端的に表現されているのが、主著『エクリ』(1966)の巻頭に置かれた「『盗まれた手紙』についてのセミネール」である。これは精神分析の研修生向けのセミネールの一部を論文化したもので、エドガー・アラン・ポーの短編小説「盗まれた手紙」の解釈を通して分析家の果たす役割を論じている。この小説では、内容の明かされない王妃の手紙をめぐって、王妃、大臣、王、警察、デュパンが場面ごとに位置を交換するが、それはシニフィアンの連鎖に身をゆだねる人間の運命の隠喩である。そして、デュパンの捜査は分析家の仕事を示しており、デュパンが関係性の中における手紙の位置に着目することでそれを見つけだすことができたように、分析家も象徴的回路における意味の鎖の反復を理解し、患者の真理を見定めることが求められるのである。

精神分析と文学批評

精神分析と文学批評の関係はどのように理解できるのだろうか。フロイトの時代の批評とフェルマンの批評を両極において比較することで、この大問題について考察するための糸口をつかむことができる。

フロイトによる文学批評は、文学テクストや作家の人生に自身の理論を適用するという形をとる。その成果の一つとして挙げられるのが、『W・イェンゼンの『グラディーヴァ』における妄想と夢』（1907）である。分析の対象となっている『グラディーヴァ』というテクストにおいて、主人公の考古学者ノベルト・ハーノルトはローマの美術館で見かけた若い女性の浮彫像に「グラディーヴァ」（「あゆみ行く女」）という名を付け憧憬の対象とするが、紆余曲折を経て、やがてグラディーヴァが彼の幼馴染のツォーエの面影と重なっていたことが判明する。この物語におけるハーノルトの夢や妄想は、フロイトによって、抑圧されていたツォーエへの想いの表出として読み解かれ、自分のことを思い出させようとハーノルトに働きかけるツォーエの振るまいは分析家の仕事になぞらえられている。また、「不気味なもの」（1919）では、ドイツ語の"heimlich"という単語に「親しみのある」と「不気味なもの」という二つの異質な意味が含まれているという事実を起点にして、ホフマンの『砂男』などを例にとり、かつて慣れ親しんだものが抑圧された後に回帰してくることにより不気味なものに転じる様が論じられる。さらに、「ドストエフスキーと父親殺し」（1928）では、ドストエフスキーを神経症患者と診断し、父親殺しの欲望や両性性という観点から彼の人生を読み解いている。

　一方、フロイトの同時代人で、精神分析理論を盛んに文学批評に適用した著作家としてはオットー・ランクがいる。古今の文学と伝説における「エディプス・コンプレックス」について網羅的に論じた大著『文学作品と伝説における近親相姦モチーフ』（1912）、文学や民間信仰における分身、影、鏡像などのモチーフを自己愛という観点から分析した『分身』（1914）などの著作がある。また、アーネスト・ジョーンズ『ハムレットとオイディプス』（1949）は、シェイクスピア『ハムレット』をめぐる研究史の中で長年討議の的となっていたハムレットの異様なまでの逡巡と復讐の先延ばしを、母への禁じられた欲望という観点から読み解いている。

　他方で、フロイト理論を受け継ぎ発展させたラカンにも「『盗まれた手紙』についてのセミネール」という重要な文学読解があるが、文学批評における彼の仕事の重要性を明確化したのはショシャナ・フェルマンである。『ラカンと洞察の冒険』(1987)において、フェルマンは「『盗まれた手紙』についてのセミネール」と「盗まれた手紙」をめぐる従来の精神分析的文学批評を比較し、ラカンの批評がテクスト内の意味だけではなく意味の欠如をも分析の対象にしていることを強調している。つまり、従来の批評が「盗まれた手紙」において最後まで明かされない王妃の手紙の内容を明らかにしようと試みるのに対して、ラカンは手紙の内容には関心を向けずに物語内における手紙の効果を読み解くことに重点を置いているというのである。また、従来の批評が「盗まれた手紙」の意味を作者であるポーの人生に求めようとするのに対し、ラカンがこの小説を作者から独立したテクストとして読解しようとしているという点でも、画期的であるという。このことを踏まえ、フェルマンは、ポーの詩的テクストのシニフィアンによる意味作用を分析する方向性と、ポーをめぐる批評言説における亀裂や矛盾点を分析の対象にする方向性、という二つの道において、精神分析は詩的なものの理解に役立つことができると結論づける。フェルマンにとっては、精神分析は文学テクストに対して機械的に適用されるべき教説としてではなく、読むという行為の対象と目的を根本的に変えてしまう革新的な思想として存在しているのである。

その他、フェルマンの『文学事象と狂気』(1978)『語る身体のスキャンダル』(1980)や、児童文学の古典として名高い『ピーター・パン』の中に子どもに対する大人の欲望を読み取ったジャクリーン・ローズ『ピーター・パンの場合』(1984)などが、日本語に訳されている現代の精神分析文学批評の例として挙げられる。

シュルレアリスム

第一次世界大戦後のフランスで発生した文学・芸術運動。硬直化した近代理性への反抗という企図をダダイスムから引き継ぎ、意識下における非合理的な世界の表現を目指した。「超現実主義」とも呼ばれる。この運動の主導者であるアンドレ・ブルトンはサン・ディジエの精神医科センター勤務時にフロイトの精神分析を知り感銘を受け、その後、思考の流れを抑制せずに書きとめる自動記述や、集団での催眠実験の会により無意識への探求に着手する。ブルトンによるシュルレアリスムのマニュフェストである「シュルレアリスム宣言」（1924）は、フロイトによる夢の研究の重要性を強調し、夢を完全に理解したあかつきには夢と現実という二つの状態が「一種の超現実」の中に解消されるであろうと述べる。そして、合理主義への抵抗という課題を担う具体的なイメージとして、「教会が鐘のように炸裂しながらそびえていた」（フィリップ・スーポー）、「橋の上で雌猫の頭をした霧が身をゆすっていた」（ブルトン）などの異質な要素の出会いを内包する表現が称揚されている。その後も運動は日常の中に顕現する「超現実」を追求し、その文学的表現としては、パリの街路における不思議な空間を描きベンヤミンの「パサージュ」論にも影響を与えたルイ・アラゴンの『パリの農夫』（1926）や、一人の風変りな少女との出会いと別れを記録したブルトンの『ナジャ』（1928）などがある。また、1929年から運動に参加したダリによって推進された、絵画に対する「パラノイア的・批判的方法」、1930年代に若きラカンがシュルレアリスト主宰の芸術雑誌『ミノトール』にパラノイアに関する論文を寄稿していたという事実も、この運動と精神分析の交差を証言する要素として挙げられるだろう。なお、メンバーの多くが共産主義と深いつながりを持っており、ブルトンの「シュルレアリスム第二宣言」（1929）においてはシュルレアリスムによる史的唯物論の拡大が論じられているが、1932年にはブルトンとアラゴンが共産党との距離をめぐる見解の相違から関係を決裂させている。この運動は国際的に広範な影響力を持ち、日本ではシュルレアリスム理論の紹介者である瀧口修造や、清岡卓行、飯島耕一、大岡信などの戦後詩人にその精神は引き継がれている。

フロイト理論とマルクス主義

フロイトの精神分析とマルクス主義の統合を試みた

代表的な理論家としては、エーリッヒ・フロム、ハーバート・マルクーゼ、ウィルヘルム・ライヒの3人が挙げられるが、彼らの方向性を大きく分けたのが、フロイト理論において重視されている「性」の位置づけであった。

サリヴァン、ホーナイらと共に「新フロイト派」として知られるフロムは、フロイトのリビドー理論を放棄して、代わりに対人関係や、経済的・社会的因子の個人への影響を重視した。主著『自由からの逃走』（1941）においては、独自の性格理論を用いて同時代のファシズム台頭の原因を分析している。近代において人間は個人としての自由を獲得したが、その自由は不安を伴うものである。望ましいのは愛や生産的な仕事を通して外界と結びつくことであるが、自由の重荷に耐えきれないと、自由や自我の統一性を破壊するような他者との絆のなかに逃避してしまう。その結果が、ファシスト国家においての指導者への隷属や民主主義における強制的な画一化だという。フロムは、自由からの逃避のメカニズムを、「権威主義」「破壊性」「機械的画一主義」という概念を用いて論じる。彼は、性への視点を取り除くことによって社会批評に適用可能な精神分析理論を構築したが、そのことがフロイト理論の希釈化につながっているという批判を浴びることになる。

一方で、「性」に焦点を当てのが、マルクーゼとライヒである。マルクーゼは『エロス的文明』（1956）において、フロイト理論に社会学的要素を加えるという新フロイト派の企図を批判し、フロイト理論そのもののなかにすでに社会理論としての性質が備わっていると主張する。フロイトの文明論においては、本能の抑圧が文明の成立条件とされているが、マルクーゼの読解によって、そのなかに抑圧的ではない文明の可能性が潜在していると論じられる。支配階級の利益を守るために行われていた本能の抑圧は、必要とされる労働量がオートメイション化によって減少したことにより必然性を失う。そして、そのことが自由なリビドー的関係により維持される文明を生み出さずにはいられない、という。他方で、ライヒは『性と文化の革命』（1945）において、無意識を反社会的な領域として措定するフロイトに抗して、道徳による規制こそが反社会的な無意識の衝動を生み出す元凶なのだと説く。そして、文化と自然の対立をなくすために、性エネルギーの使われ方についての知識の集成である性経済に従った新しい規律が必要だという考えに立って、矛盾に満ちた結婚制度や性教育を批判する。ライヒはラディカルな性解放論によってほとんどすべての著書が発禁処分になるという憂き目にあったが、やがて60年代の学生運動やコミューン運動のなかで広く受容されることになる。

最後に、ライヒの思想を理論的に極限まで推し進めた、ジル・ドゥルーズとフェリックス・ガタリの共同実践を取り上げよう。彼らは苛烈な精神分析批判の書である『アンチ・オイディプス』（1972）において、ライヒを「唯物論的精神医学の真の創始者」として高く評価し、彼の名をたびたび引き合いに出しながら、独自の欲望理論を展開する。エディプス・コンプレックスを中心に据えたフロイト理論は、欲望を生産する領域である無意識を、「父－母－子」の三角関係の物語を映し出す劇場へと縮減してしまう点でブルジョワ的抑制活動と同様に抑圧的であり、無意識の不当な使用を告発する分裂分析によって乗り越えられなければならない。範例となるのはアルトナン・アルトーから借用された「器官なき身体」という概念であり、資本主義の極限に位置するとされる「分裂症者」の存在である。資本主義は流れの脱コード化および社会体の脱領土化と、再コード化および再領土化のせめぎあう場であるが、「分裂症者」は脱領土化を極限まで推し進め、脱コード化した欲望の流れをもたらす点で資本主義に内在する可能性を指し示す存在なのである。さらに、ドゥルーズとガタリは「分裂分析」の重要な要素として分子的レベルの視点を取り入れる。フロイトが「去勢」という概念を介して男女という二つの性別を固定化したのに対して、分子的なレベルで無意識を観察するならば、それがいたるところに微細な横断的性愛を生み出し、男性の中に多くの女性を、女性の中に多くの男性を存在させている、その欲望生産のありかたを分析できるというのである。

ラカン理論とマルクス主義

　1960年代以降も、マルクス主義の理論家たちにとって精神分析はしばしば重要な基盤となったが、なかでも無視できない重みをもっていたのがジャック・ラカンの理論であった。心的イメージの世界である「想像界」、言語秩序の世界である「象徴界」、語りえぬものの世界である「現実界」という区分は、イデオロギーに関する理論の発展に大きく寄与してきた。

　マルクス主義国家理論の再構築に力を注いだルイ・アルチュセールは、「象徴界」に力点を置いて、自身のイデオロギー理論を作り上げた。代表作「イデオロギーと国家のイデオロギー装置」（1970）では、暴力の行使を機能とする「国家の抑圧装置」と、国家にすすんで従属する主体を生産する学校制度や家庭などの「国家のイデオロギー装置」を区別し、後者におけるイデオロギーの働きを分析している。アルチュセールの定義によると、イデオロギーとは「諸個人の存在の現実的諸条件にたいする想像的な関係を表して」おり、個人はイデオロギーを通して現実との関係を生きることになる。また、イデオロギーは、具体的な儀式や慣習を通して働くという意味で「物質的な存在をもつ」ものであり、形態としては常に主体に対する呼びかけという形をとる。アルチュセールは警官による呼びかけを例えとしてあげている。つまり、警官から「おい、そこの君！」と呼び止められて振り返るとき、個人は振り返るというその行為によって、主体として生成するのである。人々は自分がイデオロギーの外にいると思い込みながら常にその中にからめとられており、その機能を認識できるのはマルクス主義のような「科学的認識」を介してのみであるとされる。このようなアルチュセールの理論は、これ以降のイデオロギー批評の前提となっている。

　マルクス主義的解釈の他の解釈方法に対する絶対的優位を唱えた、フレドリック・ジェイムソン『政治的無意識』（1981）では、アルチュセールの定義に沿う形で、文学テクストのイデオロギーが考察されている。文学テクストは個人と現実の間の生きた関係を独自の方法で想像可能にするが、一方、「歴史」は「現実界」としてあり、表象不可能であり、その効果を通してしか感知できないものとして存在する。マルクス主義的解釈の使命とは、自己完結的な意味のシステムを構築する、テクストの封じ込め戦略を分解し、テクストを外部に向けて開くことである。具体的には、テクストを、潜在的な社会矛盾を解決するための象徴行為として読むことから始め、次に階級闘争の観点から読み、最終的に乗り越え不可能な地平としての「歴史」に向けて開いていく。それぞれの段階においてテクストの自律性の装いははがされていき、最後の段階においては革命の徴候を把握するための材料へとテクストは書き換えられることになる。

スラヴォイ・ジジェクは、『イデオロギーの崇高な対象』(1989)において、アルチュセールのイデオロギー理論は国家のイデオロギー装置とイデオロギー的呼びかけの繋がりを解明できていないと指摘し、主体がイデオロギーに従うメカニズムを明らかにする。ジジェクによると、イデオロギーは現実の幻想的な表象なのではなく現実そのものであり、直面するのが耐えがたい「現実界」を覆い隠すような形で、社会的諸関係を構造化している。人々は、それが幻想であることを知りながら、それに従って行動する。したがって、有効なイデオロギー批判とはイデオロギーの虚偽性を明らかにすることではなく、イデオロギー的構築物の中にその不可能性をあらわす要素を見つけ出すことである。例えば、ファシズムのイデオロギーを批判するためには、社会の統一性を乱す存在として迫害されてきた「ユダヤ人」が、実は統一的な社会という理想の根本的な不可能性がそのうえに投影された存在なのだという認識に至る必要があるのだ。ジジェクは一貫してラカンへの傾倒を示し続ける批評家であり、ポピュラーカルチャーやジョークからの引用を交え、難解なラカン理論を親しみやすい形で提供するその手腕には定評がある。他の著書としては、『否定的なもののもとへの滞留』(1993)や、ラカンの解釈をめぐるジュディス・バトラーとの論争を含んだ『偶発性・ヘゲモニー・普遍性』(2000、バトラー、ラクラウとの共著)などがある。

前エディプス期

フロイトの発達理論では、3歳ごろから開始されるエディプス・コンプレックスが性同一性の形成における重要な要因として中心化されているが、それに抗して、それ以前の「前エディプス期」を子供の発達の鍵として注視した理論家たちがいる。そのなかで代表的な存在として挙げられるのは、遊戯療法や対象関係論によって知られるメラニー・クラインである。

クラインは、子どもの内面形成や対象関係が出生直後から始まっていること、乳児が当初、母親を総体としてではなく部分対象として把握していることを主張する。彼女によると、出生直後から4〜6ヵ月ごろまで続く「妄想-分裂ポジション」において、乳児は死の本能に由来する不安から原始的な自我を分裂させるが、それに伴い母親の乳房も、満足を与えてくれる「良い乳房」と迫害的な「悪い乳房」に分裂する。乳児の内部の不安や葛藤は持続的なものであるため、取り入れ、投影、分裂などの防衛機制によって未成熟な自我を防衛することが必要不可欠である。そして、生後4、5ヵ月ごろから始まる「抑うつポジション」においては、母親を良い体験と悪い体験の両方の源である一人の全体的な人間として認識したり、周囲の人々を一人一人区別したりすることができるようになり、それと共に乳児の自我もより統合的な自我に変化する。この時期に、乳児は母親と父親の間の特別なつながりに気づき、早期エディプス段階が始まる。このようなクラインの理論は、父親やペニスの役割を特権化するフロイト理論を修正しつつ補完したものであり、ナンシー・チョドロウなど、母娘関係の機能を重視するフェミニスト理論家たちの重要な参照先になっている。

一方、フロイト、ラカン、クラインの理論を援用して、「前エディプス期」に着目した芸術実践分析を行ったのが、ジュリア・クリステヴァである。彼女は『詩的言語の革命』（1974）において、法や言語や交換の次元であるル・サンボリックと、意味作用や主体の設定に先立つ身体的な欲動の次元であるル・セミオティックを区別する。後者の場としてはプラトンの『ティマイオス』から借り受けた概念である、母性的な受容器としてのコーラが当てられており、それは前エディプス期の母子融合的な身体空間になぞらえられる。ル・セミオティックはル・サンボリックが成立する条件であると同時に絶えずル・サンボリックを脅かし破壊する要素であり、その働きはマラルメやジョイスなどの前衛的な文学テクストの中で看取することができる。そのようなテクストは、シンボル秩序への享楽や動性の導入により言語構造の変容を迫り、新しい主体の形成や社会秩序の変革を惹起する社会機能を帯びている。さらに『恐怖の権力』（１９８０）では、「母なるもの」は、おぞましさと魅惑性を兼ね備え、同一性や体系や秩序を攪乱する要素である「アブジェクト」として理論化され、それを昇華しコード化しようとする試みが、宗教儀式や、セリーヌを中心とした現代文学のなかにたどられている。クリステヴァは、リュス・イリガライやエレーヌ・シクスーとともに「女なるもの」や「母なるもの」と創作行為の関係性を明示した理論家として重要であるが、母性を物象化したことで結果的に「父の法」を再強化してしまっている、という指摘もある（ジュディス・バトラー『ジェンダー・トラブル』１９９０）［↓239頁 フランス系フェミニズムと現代女性文学の展開］。

精神分析とフェミニズム

フロイト理論は、生物学主義的にして男性中心主義的であるという批判を、フェミニズムの側からしばしば受けてきた。特に激しい非難の的となったのは、フロイトが「ペニス羨望」という概念で女性の性的発達を説明したことであった。例えば、ベティ・フリーダンは、『新しい女性の創造』（１９６３）において、「ペニス羨望」という概念は女性を劣等な性としてとらえる考え方に貫かれたものだが、それは19世紀末期のヨーロッパの中産階級の女性にのみ妥当する考え方に過ぎない。それなのに、そのようなフロイト理論がより進歩的なアメリカ社会に批判や再検討を経ずに移入されたため、本来活躍の機会があったはずのアメリカ女性を縛るくびきとして機能してしまっている、と指摘する。一方、ケイト・ミレットの批判はさらに痛烈である。彼女は『性の政治学』（１９７０）において、フロイトを「反革命的人物」と断じ、彼が女性の不満を「ペニス羨望」という概念によって説明したことで、女性が受けている社会的抑圧を問う視点を閉ざしてしまったと強く批判している。この本の後、1970年代初頭の英米のフェミニズムにおいては、「ペニス羨望」を理由にフロイトを拒絶する傾向が続くことになる。

このような風潮において画期をなしたのが、ジュリエット・ミッチェルの『精神分析と女の解放［フェミニズム］』（1974）である。彼女はこの本において、ボーヴォワール、ファイアストーン、ミレット、フリーダンらによるフロイト理論の誤読や曲解を批判し、家父長制の分析に寄与する理論としてフロイト理論を再評価している。ミッチェルによると、彼女たちのフロイト理解は、アドラーやユングなど他の理論家とフロイトを混同している点、彼の理論の中の主要な要素である幼児性欲や無意識への視点を無視している点で、問題を含んでおり、実際のフロイト理論は、家父長制の誕生や、個々人の心的生活に対する家父長制の影響を記述することで、家父長制転覆の企図に手がかりを与えるものであると論じられている。この本は、フロイト理論を両性間の格差に関する規範理論ではなく記述理論として再解釈することで、精神分析に依拠したフェミニズム批評へと道を開いた。

ミッチェルの試みを受けて、ジェーン・ギャロップは「精神分析とフェミニズム」という問題への視点をさらに深化させる。『娘の誘惑　フェミニズムと精神分析』（1982）において、ギャロップは、ミッチェルがラカンの解釈において言語への視点を欠落させたことで、彼女が批判したフェミニストたちによる精神分析の誤読を反復してしまっていると批判する。ギャロップによると、重要なのは父権制文化との闘いではなく、〈死んだ父の法〉を生物学的に単純化し「生きている男」の法にしようとする謀略への抵抗であり、そのためには言語理論を取り入れた精神分析が不可欠なのだという。このようなミッチェル批判によって幕を開ける『娘の誘惑』は、各章で、アーネスト・ジョーンズ、リュス・イリガライ、ジュリア・クリステヴァといった理論家たちとラカンを対話関係におくことで、ラカンのフェミニストとしての側面を浮かび上がらせている。ラカンのテクストに対して、細かい言い回しや、翻訳のミスまでを注視するような、執拗なほどの精読が実践されており、そのことは『エクリ』の入門書である『ラカンを読む』（1985）にも顕著である。

トラウマ理論

アメリカ精神医学会が発行するＤＳＭ（『精神障害の診断と統計マニュアル』）の第3版改訂版（１９８０）への「ＰＴＳＤ」（post-traumatic stress disorder）という診断名の登録や、クロード・ランズマンによるホロコーストのドキュメンタリー映画『ショアー』の公開（１９８５）などを背景として、「トラウマ」という概念に依拠しつつ、悲惨な出来事の証言の（不）可能性や文化への影響を論じるトラウマ理論が勃興する。そのような潮流をけん引したのが、共にポスト構造主義の代表的な批評家であるポール・ド・マンから影響を受けたキャシー・カルースとショシャナ・フェルマンであった。

カルースは、１９９１年に精神医学の専門誌『アメリカン・イマーゴ』の特別編集者に迎えられ、文学・映画・社会学・精神医学など多様な領域の視点からトラウマについて論じた特集を成功させたのち、『トラウマ・歴史・物語』（１９９６）において、フロイトやラカンやド・マンによる理論的テクストやアラン・レネの映画におけるトラウマ的体験の伝達について論じる。彼女にとって、トラウマ的記憶は、その理解への抵抗や反復性によって、言語の指示機能や倫理の可能性の再考を要請する重大な批評課題として存在していた。彼女はド・マンによって提起された言語の機能への懐疑論を前提として踏まえつつ、「出立」「燃焼」「落下」「覚醒」といったテクスト内のイメージの中に保持された体験の記憶を読み解き、他者の傷に対する応答への要請を読み取っている。一方、ショシャナ・フェルマンは精神分析医であるドリー・ローブとの共著『証言』（１９９２）において、最終的な意味や全体像を前もって把握できない不確かさの中で出来事の記憶の顕在化を試みる行為としての「証言」について論じている。特に、『ショアー』論である第7章（『声の回帰』というタイトルで日本語に翻訳されている）においては、この映画に描かれた出来事の内部と外部の間の通行に着目しつつ、「証言の解放の物語」としての性質を明示する。「脱構築」の洗礼を受けたカルースとフェルマンによるトラウマ論への取り組みは、没倫理性や虚無性を強調されがちであった脱構築批評の倫理的転回を印象づけるものであった。

以上の2人の論はトラウマをめぐる多様な議論を惹起し、トラウマ理論はさらに発展していく。ジョルジョ・アガンベンは『アウシュヴィッツの残りのもの』（1998）において、犠牲者や証言者の歌声の持つ可能性を強調するフェルマンの議論を「証言を美学の対象にすることに等しい」と批判し、生存者の証言の言語は言語を持たない者たちの非‐言語のうちで生成すると主張する。彼は、収容所において生きながらの死の状態に追い込まれた「回教徒」と呼ばれる人々に注目し、「回教徒こそは完全な証人である」というプリーモ・レーヴィのテーゼを読み解きながら、言語と非‐言語、人間と非‐人間の関係性が問題化される場として「証言」を位置づけている。他方で、ドミニク・ラカプラは『歴史を書く、トラウマを書く』（2001）において、トラウマと歴史、体験者と非体験者を同一視しがちであったそれまでのトラウマ論を批判し、特定の具体的出来事に由来する「歴史的トラウマ」と超歴史的な次元にある「構造的トラウマ」を区別するべきことを主張する。そのような区別を通して彼が模索したのは、新たな暴力や終わりなきメランコリーに陥ることなくトラウマ的出来事の記憶と向き合う方法であった。また、ロバート・イーグルストン『ホロコーストとポストモダン』（2004）は、カルースなどのトラウマ理論における生存者の記憶とトラウマの症候の同一視に反発し、むしろ証言テクストにおける細かい主体的な表現戦略に焦点を当てて「証言」の特性を論じている。イーグルストンは、近年におけるトラウマ理論についての論集である『トラウマ理論の未来』（2014）の編者でもあり（共編者は、ガート・ビューレンズとサム・デュラント）、この論集に寄せた論考の中で、トラウマ理論が、体験の構造や、人間が自己について考えたり話したりする方法、さらには残虐行為が言語体系全体に与える影響など、根源的な問題を考察するための重要な視点を含んでいることを主張している。

精神分析と日本人論

つねに安定した需要を誇る日本人論において、精神分析は無視できない役割を果たしている。それは、その時代の社会問題を日本人や日本社会に特有のメンタリティによって説明し、解決策を提示するという働きにより、アカデミックな場の外でしばしば広い支持を獲得する。なかでも、土居健郎、河合隼雄、小此木圭吾の著作は、母子関係を切り口にした「分析」によって日本人論の一類型を築いたことで、特筆に値する。

土居健郎『甘えの構造』（1971）は、日本社会は「甘え」によって浸透された社会であると主張する。著者がこの理論を着想したきっかけは、米国留学中の体験にあった。例えば、ある時「あなたはお腹がすいているか、アイスクリームがあるのだが」と尋ねられた際に、著者は腹がすいていたにもかかわらず、初対面の相手への遠慮から、「すいていない」と返事をした。彼としては、相手がもう一度勧めてくれるだろうという期待があったのだが、しかし相手は「あー、そう」という愛想のない反応をするだけである。著者はこのことを含む複数の体験から、アメリカ人には日本人のように、相手の心理を察したり思いやったりする習慣がないことを知る。この本において、著者は、頻繁な謝罪、義理と人情の重視、内と外の甚だしい分離、非論理的な思惟といった日本人の習性や、天皇制や学生運動などの事象を「甘え」という観点から読み解く。そのなかで、「甘え」は母子関係における乳児の心理を原型とする幼児的なものであり、他者の発見を通して超克されるべきものであることが説かれる。敗戦後25年を経て日本が国際化に歩みだしていた状況下で、日本人の成熟の必要性を訴えたこの本は、以後の精神分析理論をベースにして書かれた日本人論の土台になる。

河合隼雄『母性社会日本の病理』（1976）に収められた「母性社会日本の〝永遠の少年たち〟」は、日本は母性原理の優位な社会であり、そのことが「登校拒否症」や対人恐怖症といった問題の背景をなしていると論じる。しかし、それに対する解決策は、西洋的な父性原理による自我確立を目指すことではなく、父性原理と母性原理の中間的な存在である日本社会の柔軟性を肯定的に評価し、日本人の一見あやふやな自我を支える何かを探ることにある、というのが河合の主張である。そして、ユング派の学者らしく、彼はそのヒントをアマテラスとスサノオを共存させている懐の深い日本神話の中に見出している。

一方、小此木圭吾『日本人の阿闍世コンプレックス』（1982）は、日本最初の精神分析家である古沢平作によって提示された「阿闍世コンプレックス」についての著者のエッセイを一冊にまとめた本である。「阿闍世コンプレックス」とは、母への怨みとそれに伴う罪悪感、そして母からの許しによる救済、というプロセスによって日本人特有の発達過程を説明したもので、フロイトの弟子であった古沢がフロイトの「エディプス・コンプレックス」に対応するものとして練り上げた概念であった。小此木によると、これは事件に際しても許しあいによる一体感の回復を目指そうとする日本人の特質をうまく表しているという。そして、西洋の文化である精神分析と日本文化の融合を模索した古沢の歩み自体が、異質な二つの文化を統合し新しい日本的な自我を構築するという課題に取り組むためのヒントを提供している、と主張されている。

以上の3者は日本文化が母性文化であるという前提を共有しているが、これと同様の見解に立ち文学テクストを読み解いたのが、江藤淳『成熟と喪失』（1967）である。江藤は、主にエリック・エリクソンに依拠しつつ、母性や父性をめぐる日米比較文化論を打ち出しているが、読解においては文学テクストへの文化論の単純な適用にとどまることはなく、「第三の新人」と呼ばれる作家たちのテクストの細部に基づいて、母性の崩壊という現象に対する個々の作家の批評意識の在り方を探っている。

参考文献

竹村和子編『〝ポスト〟フェミニズム入門』作品社、2003年。

福原泰平『ラカン　鏡像段階』講談社、1998年。

エリザベス・ライト編『フェミニズムと精神分析事典』岡崎宏樹・樫村愛子・中野昌宏訳、多賀出版、2002年。

大橋洋一編『現代批評理論のすべて』新書館、2006年。

小此木啓吾『フロイト』講談社、1989年。

20世紀終盤に多角化したジェンダー・セクシュアリティ研究の原動力となってきたのは、フェミニズムとポスト構造主義との緊張関係である。フェミニズムは、社会的に定義された「女らしさ」を批判し、女性が普遍的な主体性を獲得するための理論的基盤を構築してきた。しかしポスト構造主義者によって、主体とは権力構造に沿って社会的に構築されると共に、権力を隠蔽するものであるとの主張がなされると、フェミニズムにおけるジェンダーとセクシュアリティの再考が急務となった。なぜなら近代フェミニズム理論の基盤であった「女」としてのアイデンティティは、異性愛主義や西欧白人中心主義に組み込まれており、そのため人種、階級、セクシュアリティなどの女性の中の差異に対して盲目であることが顕在化したからである。その結果、ブラック・フェミニズム、ポストコロニアル・フェミニズム、クィア理論などのパラダイムが生まれ、強制的異性愛体制によって自然化された二元的なジェンダーの欺瞞性や、女性というジェンダー・カテゴリーの多層性に光をあてた。

［諸岡友真］

第 10 章
ジェンダー・セクシュアリティと文学

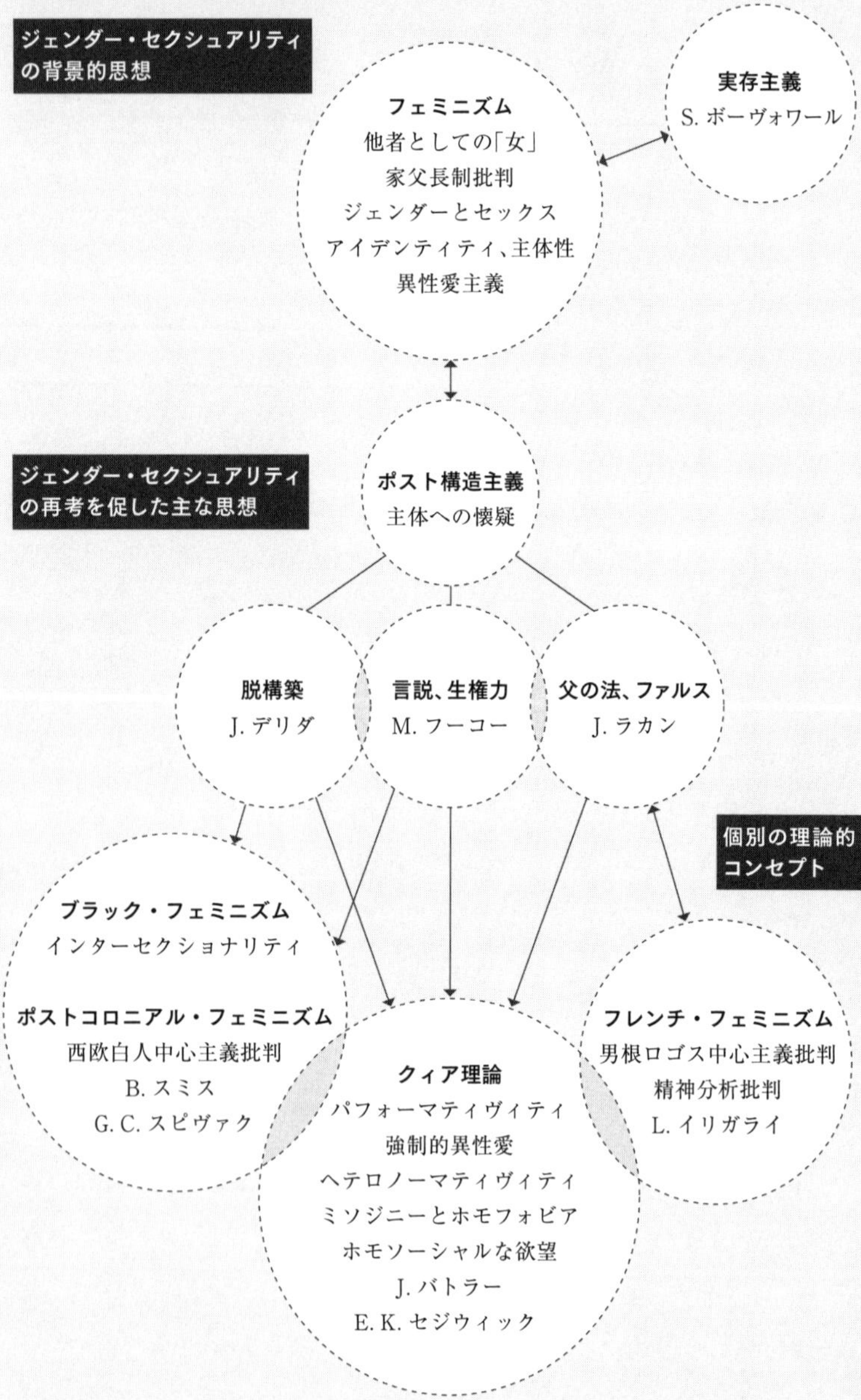
ジェンダー・セクシュアリティの背景的思想
フェミニズム
他者としての「女」
家父長制批判
ジェンダーとセックス
アイデンティティ、主体性
異性愛主義
実存主義
S. ボーヴォワール
ジェンダー・セクシュアリティの再考を促した主な思想
ポスト構造主義
主体への懐疑
脱構築
J. デリダ
言説、生権力
M. フーコー
父の法、ファルス
J. ラカン
個別の理論的コンセプト
ブラック・フェミニズム
インターセクショナリティ
ポストコロニアル・フェミニズム
西欧白人中心主義批判
B. スミス
G. C. スピヴァク
クィア理論
パフォーマティヴィティ
強制的異性愛
ヘテロノーマティヴィティ
ミソジニーとホモフォビア
ホモソーシャルな欲望
J. バトラー
E. K. セジウィック
フレンチ・フェミニズム
男根ロゴス中心主義批判
精神分析批判
L. イリガライ

フェミニズム運動と文学への影響

フェミニズムの源流には、市民革命を経て概念化された基本的人権思想が存在する。なぜならフェミニズムは、啓蒙思想や人権概念が女性を想定していないことへの抗議を通じて具現化したからである。フェミニズムの先駆者である英国の女性作家メアリ・ウルストンクラフトは、『女性の権利の擁護』（1792）において、啓蒙思想の標榜する平等な権利が女性に保障されていないことの不合理さを批判した。特にデモクラシーの理想と現実の乖離は、家庭という私的領域に縛られた女性の権利剝奪として顕れた。女性は政治や経済活動という公的領域から隔絶され、ひとたび結婚すると、家長である夫に財産権が譲渡された。

したがって、19世紀中葉から20世紀初頭にかけて台頭した第一波フェミニズムは、既婚女性の財産権と婦人参政権獲得を試みた。しかし、文化的には「ヴィクトリア時代」と呼ばれるこの時期のフェミニストの大半は、家庭を女性領域と定める「真の女性らしさ」を内面化した中産階級であった。歴史家バーバラ・ウェルターが命名した「真の女性らしさの崇拝」という現象は、女性に固有とされる美徳（敬虔、純潔、従順、家庭性）を強調し、妻こそが家庭内の道徳の守護者であるという通念を作り出した。家庭的で道徳的な女性像は、例えば米国の女性作家ルイーザ・メイ・オルコットの小説『若草物語』（1868）に表れている。家庭を女性領域としてジェンダー化する「真の女性らしさ」は、性役割分業の規範化に手を貸し、第一波フェミニストの目的は女性の承認にとどまった。

第一波フェミニズムは、1920年の米国、1928年の英国における女性参政権に結実し、いったんの終息を迎える。その後、第二次世界大戦が起きると、女性も生産労働へと進出し始め、戦後の好景気も女性の就労を手助けした。しかし、1963年に出版され、一躍ベストセラーとなったベティ・フリーダンの『女らしさの神話』は、物質的豊かさや公的権利の獲得のみでは、女性の自己実現は果たせないという現実を露呈した。同書が着目したのは、ホワイトカラーの夫と結婚し、郊外で子育てに励む中産階級専業主婦の内面である。高等教育で得た知識を生かせず、夫に経済的に依存せざるをえない彼女たちが共有する、漠然とした不安感を前景化することで、いわゆる「名前のない問題」が父権制社会に則った「女らしさ」の幻想に由来することを批判した。女性の個人的な悩みが家父長制における権力構図の反映であることを示した『女らしさの神話』は、第二波フェミニズムの起爆剤となった。

　女性の権利獲得に注力した第一波フェミニズムに対して、1960年代後半から70年代に隆盛を極めた第二波フェミニズムは、公私にわたる権力構造を争点とした。第二波フェミニズムは、「性と生殖における自己決定権」獲得を目指すとともに、社会制度の根幹に潜む男性中心の価値観を問題化した。女性であることの意味を根源的（ラディカル）に自問したこの潮流は、ラディカル・フェミニズムとも称された。ラディカル・フェミニストは、「個人的なことは政治的なこと」というスローガンを掲げ、家庭や性関係などの私的領域における男女の権力関係の分析に踏み込むとともに、個人的な悩みや経験を共有する「意識高揚運動」を行った。

　ラディカル・フェミニズムの政治的実践を文学批評に応用し、フェミニズム批評の礎を築いた人物が、米国のケイト・ミレットである。『性の政治学』（1970）は、D・H・ロレンス、ヘンリー・ミラー、ノーマン・メイラーの作品における性描写を分析し、そこに反映された実世界の父権制と女性嫌悪を批判した。多くの文学作品が、男性中心的な価値観に基づいていたという批評的問題意識は、同書によってもたらされた。その後、70年代半ばに興隆したフェミニズム批評「ガイノクリティシズム」は、女性作家独自の文学的要素の体系化を図った。代表的著作、サンドラ・ギルバートとスーザン・グーバーの『屋根裏の狂女』（1979）は、英国の女性作家シャーロット・ブロンテの『ジェーン・エア』（1847）を分析した。

　だが、第二波フェミニズムが勢力を増していく一方、内部に潜む問題もまた表面化した。同性愛者でもあった黒人女性批評家のバーバラ・スミスは、フェミニズム運動における白人中産階級異性愛中心主義を批判し、その後ブラック・フェミニズム団体を立ち上げた［↓237］

頁ブラック・フェミニズムと黒人文学の軌跡]。

ポスト構造主義とジェンダー系批評理論の黎明

ジャック・ラカン、ミシェル・フーコー、ジャック・デリダは、1960年代後半から30年あまりにわたって隆盛を極めたポスト構造主義における中核的な思想家であるが、彼らの知見はフェミニズムとの関連においても肝要である。彼らの思想は、それまで女性の経験を重視するあまり、理論的視座を欠いてきたフェミニズムが、主体形成の分析へ踏み込む際の知的基盤となったからである。

精神分析医ラカンは、精神分析の祖であるジグムント・フロイトのエディプス・コンプレックスを再解釈した[↓213頁ジグムント・フロイトの思想]。フロイトによれば、母を愛の対象に据える男児は、性的な競争相手である父に憎悪を向ける。しかし、両親に対して愛憎を抱く男児は、父から罰を受けるのではないかという「去勢不安」に苦しめられる。ラカンは、男児の近親姦的愛情とそれを禁ずる父権的な法という構図に、言語獲得による主体形成の過程を読み込んだ。言語獲得以前の幼児は母と未分離の状態であり、充足的な存在である。しかし、近親姦タブーなどの禁止（父の法）を定める言語体系（象徴界）に参入する際、幼児は母との原初的結合を失い、充足不可能な「欠如」を抱え込む。欠如を埋めることへの欲望から、人間は言語を獲得し、主体構築へ歩み出す[↓215頁ジャック・ラカンの思想]。

フランス系フェミニズムを代表するリュス・イリガライは、フロイトのエディプス理論における男性中心主義への批判から、自身の理論を練り上げた。それに対してジュリア・クリステヴァは、ラカンが示唆した母と子の混然一体となった前エディプス期に注目し、そこに存在する「原記号界」という言語領域を概念化した[↓239頁フランス系フェミニズムと女性文学の展開]。

哲学者フーコーは、遍在的で多様な言説が人間の身体やセクシュアリティを統制する「生権力」という法権力モデルを提示した。言説とは、ある特定の歴史的文脈に位置する社会で自明とされる知識を記す言述の総体である。『性の歴史』第一巻（1976）は、19世紀の医学、法律などの言説が、セクシュアリティに関する社会的規制を行った結果「生物学的」セックスの自明性が捏造されたと説明し、ゆえに性別化された身体は、言説による社会構築物だと主張した。

フーコーの生権力や言説／権力、さらにセクシュアリティの社会構築性という知見は、本来多型的なセクシュアリティを異性愛に固定化する権力構造を暴露したクィア批評、とりわけ同分野の発展に貢献したイヴ・K・セジウィックやジュディス・バトラーに多大な影響を与えている。

哲学者デリダが打ち出した「脱構築」は、様々なフェミニストに、その倫理的・政治的潜在力を引き出されつつ進展を遂げた。安定した定義や意味を常に逃れる脱構築をあえて定義するならば、それは言語体系を支える二項対立における矛盾をあぶり出し、意味の決定不可能性へと追い込む思考、方法、文体などであろう。

デリダは特に、フェルディナン・ド・ソシュールの構造主義言語学が依拠した二項対立を批判した。ソシュールは、記号をシニフィアンとシニフィエから構成されるとした。シニフィアンは、例えば「女」という言語表記や音を指し、シニフィエはそれが指示する概念である。シニフィアンとシニフィエとの関係は、社会の中で恣意的に固定化される。記号体系は差異のシステムであり、いうなれば「女」の意味が「男」との差異によって決定されるのである。対する脱構築は、先験的《アプリオリ》な身体的事実とされた男女の差異を解体していく。

男女の性差は生物学的な差異によって措定されてきた。しかし、フーコーが論じたように、セックスの自明性が医学言説による構築物だとすれば、性差の参照点であるセックスとは何なのか。このように、差異による言語的定義を試みる際、他の定義へと永遠に連結し、決定的な意味が遅延していく現象を、デリダは「差延」(差異＋遅延)という造語で表現した。バトラーはこの「差延」理論に基づき、ジェンダーを決定不可能性へと流動化させる「パフォーマティヴィティ」という概念を構築した[↓249頁クィア批評(2)]。

またポスト構造主義は、先鋭的な文学批評の基盤ともなった。デリダの思想を米国批評界に普及させたポール・ド・マンの薫陶を受けたバーバラ・ジョンソンの『差異の世界』（1987）は、黒人女性作家ゾラ・ニール・ハーストンの『彼らの目は神を見ていた』（1937）などの読解を通じて、脱構築の盲点であった性や人種の差異を分析した。

ブラック・フェミニズムと黒人文学の軌跡

「女」というカテゴリーの多層性を最初に可視化させたのは、1950年代後半の米国における公民権運動の性差別と、ウーマン・リブ運動の人種差別に失望した黒人女性であった。人種、階層、ジェンダー、セクシュアリティによる複合的な抑圧に無知な白人フェミニズム運動の限界を肌で感じたスミスは、「コンバヒー川集合体《コレクティヴ》」という、黒人フェミニストとレズビアンを中心とする団体を1974年に組織した。この名称は、南北戦争中の1863年、ハリエット・タブマン率いる黒人レジスタンスが、サウスカロライナ州のコンバヒー川沿いに位置する農園から、黒人奴隷を解放したという史実に基づいている。

コンバヒー川集合体発足の3年後に出された団体声明は、のちに法学者キンバリー・クレンショーが名付けた「インターセクショナリティ」という重層的な権力構造の概念を先取りしていた。つまり声明は、人種的、性的、異性愛的、そして階層的な抑圧が交差《インターセクト》する多層的な権力を分析し、それと闘う決意を表明したのだった。この権力モデルは、南北戦争後に黒人に投票させないという政治的目的のため、白人男性が黒人女性に性的暴力を行使した事件や、当時の黒人女性が日常的に晒されてきた抑圧の経験から概念化されたものだった。さらに声明は、性差別や人種差別に陥った政治団体と同じ轍を踏まぬよう、黒人女性に加え、第三世界や労働者階層の女性が直面する多種多様な抑圧とも共闘する主意を掲げるとともに、超国家的な連帯を試みた。

作家でもあったスミスや、詩人オードリー・ロードなどのブラック・フェミニズムの指導者は、旺盛な創作活動を通じて自らの意見を社会に発信した。スミスは、「ブラック・フェミニスト批評にむけて」（1978）

というエッセイを世に問い、70年代にいたるまで軽視されてきた黒人女性文学を再評価するための原則を提示した。ノーベル賞作家トニ・モリスンの小説『スーラ』（1973）の読解がその最初の仕事であった。スミスは、『スーラ』を黒人レズビアン小説として読み、人種、ジェンダー、セクシュアリティの絡み合う多層的な権力作用が、黒人女性スーラ・ピースとネル・ライトとの複雑な友情に影響を及ぼしている点を読み解くことで、インターセクショナリティの視点を文学批評へ応用した。自分たちが特権的な白人でも男性でもないことを認識したスーラとネルは、互いを主体構築における参照点とし、人種差別と性差別に満ちた社会を生き抜くために絆を固めた。しかし、この親密な関係は、家父長制に基づく性規範の干渉を受け、2人の間の欲望が異性愛へと転換されることによって瓦解する。このようにブラック・フェミニスト批評は、黒人女性に固有の抑圧形態を分析することを可能にした。

　抑圧的状況下に人種、ジェンダー、セクシュアリティの交差性を見出したブラック・フェミニズムは、黒人文学における男女関係表象のパラダイムシフトを惹起した。伝統的に、黒人文学はジェンダーの政治を描くよりも、人種差別社会における黒人男性の苦境への抗議を描くことに力点を置いてきた。その傾向は、怒れる黒人男性の白人女性殺害を描く『アメリカの息子』（1940）の著者リチャード・ライトが、黒人女性の性的主体性を主題としたハーストンの小説『彼らの目は神を見ていた』を猛烈に批判し、彼女を文壇から追放した事実にも確認できる。しかしブラック・フェミニズムの訴えが人口に膾炙すると、黒人文学の主流はむしろ、重層的な抑圧を捉えた黒人女性作家へと移っていった。

　ピューリッツァー賞に輝いたアリス・ウォーカーの『カラー・パープル』（1982）やモリスンの『ビラヴィド』（1987）は、その傾向を世に知らしめた作品である。特にウォーカーが、ライトの酷評以来、世間から忘れ去られていたハーストンの墓を探し出し、発見に至る経緯を、自らが編集長を務める雑誌『ミズ』で連載したことは、黒人女性文学の再発掘を象徴化する出来事となった。米国フェミニズムを代表する存在となったウォーカーはまた、黒人のフェミニズムを正しく表明するために、西洋中心の「フェミニズム」という言葉を捨て、「ウーマニズム」という呼称を使うことを提唱した。しかし、このような傾向を不服とし、黒人男性への「逆差別」を告発する「ブラックラッシュ」現象が、黒人男性知識人の間に根深く残る状況もある。

フランス系フェミニズムと現代女性文学の展開

フロイト＝ラカンの精神分析理論における男性中心主義を批判したフランス系フェミニズムは、フランスの先達フェミニスト、シモーヌ・ド・ボーヴォワールの思想からの訣別を意味していた。ボーヴォワールは『第二の性』（1949）で、「人は女に生まれない、女になる」と語り、ジェンダーという言葉を使用してはいないものの、文化構築物としての性という概念を説明した。ここでいう「人」とはジェンダー以前の普遍的主体を指すが、ボーヴォワールは、男は普遍性と一体化可能であるのに対し、女は身体の特殊性ゆえに他者化されてきたことを指摘した。その上で彼女は、「男と女が、その自然の分化を越えて、友好関係をはっきりと肯定することが何よりも必要」であると論じた。

これに対し、フランス系フェミニズムの旗手であるリュス・イリガライとジュリア・クリステヴァは、先験的主体性を標榜する西洋形而上学や精神分析理論が、男と女という二者を、主体と他者、普遍性と特殊性、精神と身体という前者優位の二項対立へ組み込む、男性中心の意味機構であることを看破した。特に2人は、フロイト＝ラカンのエディプス理論で無視された女性の重要性を独自の視点から論じ、各自の立場を明確にした。

イリガライは、フロイトの理論化した「ペニス羨望」が、男性視点の言説であることをあぶり出した。フロイトによれば、発育の初期段階の女児は、自身の身体にはペニスが欠如していることを見てとるが、徐々に自身の性器を受け入れる。フロイトはその過程を、女児は、クリトリスを劣ったペニスとして認識し、男児と同様にふるまうという論理で表した。つまり女児は、みずからを男よりも劣ったものと認識することになるのだ。さらにその後、女児は自身に完全なペニスを与えなかった母を恨み、男性器を与えてくれる父、そして男性に欲望を向け、最終的にはペニスをもつ息子を出産する欲望を抱く存在として構築される。

イリガライは、フロイトが女性のセクシュアリティを男性器の欠如やそれへの願望としてのみ表象していることを批判した。この認識に基づき、彼女はフロイトが女性を、男児の欲望の対象である母としてのみ捉えていること、ひいては女性の性的主体性を抑圧してきたことを論証した。精神分析が、女性のセクシュアリティを追究できない枠組みであったということは、女性的快楽の抑圧とも連動している。つまり、家父長制社会において、女性が当てはめられてきた「母」という社会的役割は、女性固有の欲望を不可視化させ、彼女たちを再生産者へと一本化した。

このことはつまり、男性中心の言説が、女性をあらかじめ構築された物語に当てはめるだけの権力でしかないことを意味している。これを「男根ロゴス中心主義批判」と呼ぶ。しかし、イリガライにあっては、男性の言語によって「欠如」として表象されてきた女性のセクシュアリティを再表象することが、二つ目の課題となる。彼女は、男性中心の意味機構の外部に女性的な言語（エクリチュール・フェミニン）を形成し、女性的な快楽の表象を目指した。作家としても知られる理論家エレーヌ・シクスーは、特に、他者を全て受容する母の身体を、エクリチュール・フェミニンの象徴に据えた。象徴的「母」の言語が、男性的秩序に抗う新たな文学を創造するという考え方は、多くの現代女性作家に影響を与えた。日本では、大庭みな子や津島裕子などがその好例である。

他方でクリステヴァは、母と幼児の関係性を独自の着眼点から分析し、新たな言語空間の概念を理論化した。特に彼女は、ラカンが概念化した象徴界と対立的な「原記号界」というコンセプトを練り上げた。象徴界とは、母の身体との始原的な結合の喪失後に幼児が参入する言語領域であり、近親姦タブーなどの禁止の法を定める厳格な二項対立に基づく言語システムである［→235頁 ポスト構造主義とジェンダー系批評理論の黎明］。

それに対してクリステヴァが提唱した原記号界とは、

母と子が混然一体となった前エディプス期に位置する言語領域を指す。この前言語的領域は、「コーラ」と呼ばれる創造の源としての子宮に比される。クリステヴァは、万物の生成の場としてプラトンによって定義された「コーラ」を、前エディプス期の母の身体と結び付け、これが「詩的言語」を生み出すと論じた。象徴界に先立つ原記号界への入り口である詩的言語野は、単一の意味を逃れる身体的欲動や、男性中心の象徴秩序をすり抜ける無秩序的な力を秘めている。

ポストコロニアル・フェミニズムと文学理論の再構築

ポストコロニアル・フェミニズムは、父権制のみならず帝国主義もまた、女性の抑圧を構造化している点を批判的に検証する。同分野に多大な貢献をしたガヤトリ・C・スピヴァクは、第三世界の女性が現実に絡め取られている差別構造に勝るとも劣らず、そうした女性について語る批評的言説の西欧中心性を問題化した。スピヴァクの批評が前提としているのが、エドワード・サイードによるオリエンタリズム批判である。サイードは、フーコーの「言説／権力」という視角を西洋文学や旅行記などにおける東洋表象の分析に応用し、西欧白人中心主義に基づく東洋像としてのオリエンタリズムが、いかに植民地主義を正当化する言説として機能しているか論証した。こうしたサイードの仕事を基にスピヴァクは、フランス系フェミニズム理論に潜む西欧白人中心主義的指向を指摘し、帝国主義とフェミニズム理論との共犯関係を暴き出した。

ポストコロニアル・フェミニズムの先駆的論文「国際的枠組みにおけるフランス・フェミニズム」（1981）の中でスピヴァクは、クリステヴァの『中国の女たち』（1977）が示す「植民地主義的な善意の兆候」を批判した。クリステヴァは、古代中国の母権制社会の残滓が、前エディプス期の原記号界として、現代中国の父権制社会と言語の中に残存しており、その攪乱的な力が中国人女性を圧制から解放すると予言した。しかしスピヴァクは、クリステヴァが中国文学の体系的な知識をもたず、中国人女性の経験を分析することもなしに、彼女たちを自らの信念である「エクリチュール・フェミニン」に一方的に当てはめていること、ひいては中国の文化的、言語的、歴史的な差異を不可視化する「認識論的暴力」を働いていることを露呈した。

スピヴァクによるクリステヴァ批判の要諦であった西洋学問による他者の消去は、『サバルタンは語ることができるか』（1988）において、徹底的に突き詰められる。「サバルタン」とは、イタリアのマルクス主義者、アントニオ・グラムシが使用した用語で、そもそも軍隊組織の下位にあり、決して名指し＝代表されない階層にある人々を指す［↓154頁 サバルタン］。彼らは一貫したアイデンティティをもたず、社会的・政治的権力の機構によって形成された副次的な存在なのだ。サバルタンは、英国によるインド支配（1857・1947）を通じて政治活動を行ってきたにも拘わらず、植民地官僚やインド人の中産階級エリートにより、差別的な記述しかされてこなかった。いわば抹消された彼らの歴史の回復を試みたのが、インドのサバルタン研究集団であった。だがスピヴァクは、彼らが古典的マルクス主義による階級観念に囚われていたため、女性を射程に入れ損ねていたことを批判した。

このような問題意識のもと、スピヴァクは、夫を焼く薪に寡婦が身を投げるという、インドのサティの慣習と、その慣習を正当化する宗教的言説が、女性の主体性をかき消してきたことを詳らかにした。つまり、女性が自決という選択を行ったにも拘わらず、サティを神聖な行為として定義するヒンドゥー教の規範によって彼女の主体性が剝奪され、女性の身体が夫の財産の一部として再定義されるのだ。

さらに英国人が、サティをインドの野蛮な行為とみなし、インドの文明化を名目に帝国主義を正当化したことで、女性の主体性が二重に抹消されてきた。多層的な言説の渦中にいるサバルタンが語ろうとも、彼女の声は常に支配的な政治表象システムに絡めとられている。こうした文脈を理解して初めて、「サバルタンは語ることができない」という発言の重みを理解することが可能になる。

90年代に入ると、チャンドラ・モハンティ、レイ・チョウ（周蕾）、サラ・スレーリなどアジア系の批評家が、ポストコロニアル・フェミニズム批評を拡充した。モハンティは、西洋フェミニズムが第三世界の女性を物象化していることを批判し、第三世界の多様性・歴史性を主張した。チョウは、「他者」や「ネイティヴ」概念の欠陥を指摘し、スピヴァクの知識人批判を拡張した。スレーリは、帝国主義側の作家とともに、植民地側の作家もまた支配構造に組み込まれている点を批判した。さらにポストコロニアル・フェミニズムは、セクシュアリティの問題を扱うデイヴィッド・ヘンリー・ホアンの『M・バタフライ』（1988）など、90年代以降のアジア系アメリカ文学を先鋭化させた。

クィア批評（1）イヴ・K・セジウィック

1990年代に登場したクィア批評の「クィア」(queer)は、19世紀には「変態」を指す侮蔑語であった。しかし、ゲイ・レズビアン運動家や批評家は、自己規定の言葉として「クィア」を再領有し、再定義することで、言語に埋め込まれた差別意識の書き換えを試みた。他方、次項で見るバトラーは、侮蔑語が体現する言語の暴力性を「差延」へと再文脈化する戦略としての「パフォーマティヴィティ」を概念化した［↓245頁クィア批評(2)］。したがって、クィア批評とは脱構築的な知の試みであるといえるが、特にここで、脱構築の対象とされたのは異性愛と非異性愛の二項対立であった。なぜなら権力は常に、本来多型的な性愛を規制することで、異性愛を規範化してきたからである。そこでクィア批評は、異性愛を自然化／規範化し、非異性愛を周縁化する言説／権力がどのように働いているのかを詳らかにしようとする。

米国の文学研究者、セジウィックは、クィア批評の発展に寄与した人物である。『男同士の絆』（1985）で彼女は、異性愛と同性愛との間に措定されていた境界線が、異性愛中心主義を基盤に据えた家父長制によって社会的に構築されたものであることを詳述した。この考え方の端緒となったのは、ルネ・ジラールの「性愛の三角形」であり、セジウィックは、それが想定する関係に、「ホモソーシャルな欲望」という政治的要因を透視した。ジラールによれば、人が愛の対象を選ぶ際、ライヴァルがその対象を欲望しているかどうかが決め手となるため、ライヴァル同士の絆の方が、愛の対象への感情に勝って強固となる。だがジラールは、ライヴァルである二者のジェンダーの差異が生む三角関係の質的変化を考慮しなかったため、その変化を構成する歴史的文脈を射程に含め損なった。

他方でセジウィックは、性愛の三角形モデルにジェンダーとセクシュアリティを形作る父権制社会における異性愛主義という視点を加えることで、女を媒介にした男性同士のホモソーシャルな欲望を概念化した。「ホモソーシャル」とは、同性間の社会的な連帯意識を表している。特に男性同士の絆は、資本の増殖を目的とした性役割分業に依拠した家父長制と、その社会構造が要請する強制的異性愛によって構築されている。なぜなら性役割分業は、男性に家長として女性を支配する経済的根拠を与え、他の男性との同一化を可能にすることで、男性同士の連帯を強化することになるからである。

この筋書きにそって、セジウィックは、男同士の連帯を崩す女性が嫌悪の対象となり、ミソジニーが家父長制に組み込まれる経緯を説明した。また、労働力の再生産に価値を置く資本主義社会は、生殖を目的とする異性愛を男性たちに強制する。そこで彼らは、強力な同性愛嫌悪を共有することで、本来見分けがたいホモソーシャルと同性愛関係を峻別した。しかし、まさにこの二つの関係の連続性を、男性が断ち切る必要性を感じているという点に、彼女は男性の抑圧された同性愛への欲望を読み込み、分節化された関係性への欲望を、ホモソーシャルな欲望と名づけた。

さらにセジウィックは、ホモソーシャルな欲望を文学テクストから析出する際、階級問題にも注意を向け、多元的な概念構築を行った。『男同士の絆』に収められたチャールズ・ディケンズの『我らが共通の友』（1865）論はその好例である。同小説は、階級によって性質の異なる複数の三角関係を描いている。一つは、最下層階級であるヘクサム家の息子チャーリーと娘のリジー、そして貧民出身の教師ブラドリー・ヘッドストンである。そこへジェントルマン階級のユージン・レイバーンがリジーの求愛者として加わると、二つ目の三角形が形成される。さらにユージンは、元級友のモティマー・ライトウッドとの友情関係に価値を置くが、リジーが2人の間に入ることとなる。ブラドリーはユージンの殺害を試みるが、彼の同性愛的関心は、1885年に付されたラブシェア修正条項以前の英国刑法制度下の、労働者階級への社会的偏見のため、暴力的に描写される。それに対して、モティマーに対する同性愛を断ち、ユージンがリジーと結婚するプロットは、資本主義社会において主要位置を占めたジェントルマンたちの階級格差を正当化するイデオロギーを表象している。このようにセジウィックは、ホモソーシャルな欲望を文学作品に読み込むことで、性愛関係がいかに言説／権力と歴史的な文脈によって構築されているのかを詳らかにした。

クィア批評（2）ジュディス・バトラー

クィア批評の発展に寄与したバトラーの『ジェンダー・トラブル』（1990）は、フェミニズム政治の基盤をなしていた「女」というカテゴリーの脱構築から、ジェンダーの言語構築性の解明に進んだ。フェミニズムは、「女」のアイデンティティや普遍的主体の承認から、女性解放を目指してきた。しかしバトラーは、主体概念自体が権力構造に組み込まれているため、統合されたアイデンティティを政治的基盤に据えることは、法の支配——特に男根ロゴス中心主義と異性愛主義——を強化する自滅行為だと主張した。男根ロゴスとは、位階的な二項対立を措定する男性中心の意味機構であり、異性愛主義とは生殖を目的としたジェンダー制度である。バトラーによれば、そうした規範的観念によって産出されたジェンダー、セクシュアリティ、セックスの間の偽りの連続性が、統一したアイデンティティを保証している。すると、「女」のアイデンティティの構築は、性規範の正当化への共犯となる。

ジェンダー、セックス、セクシュアリティの統一性が社会構築物であることを説明するため、バトラーはフロイトが見出した「メランコリー」という心的機制に注目し、欲望を異性愛に一本化する過程には、同性愛がタブーに基づき断念される必要があることを論じた。愛の対象の喪失を嘆く「喪」に対してメランコリーは、喪失自体を認識できずに対象を体内に取り込むが、バトラーは、フロイトのエディプス理論が異性愛を前提としていることから、近親姦タブーが同性愛タブーを包摂している可能性を想定した。その原初的な経験として、異性愛社会に生まれた幼児は同性の親への愛を断念する際、その欲望をメランコリーの形で抑圧する。つまり彼らは、愛の対象のみならず同性愛自体をも禁じられることで喪失を認識できず、同性の欲望対象を自我のなかに作るのだ。

バトラーはさらに、対象の体内化が幼児の性器で生じると論じた。性器は、生殖に価値を置く生物学的言説によって、性差を表す表徴として特権化された身体部位である。異性愛主義的な制度の下で幼児は、同性の親と同一化する際に性器を参照点とするのである。こうして性別化された身体は、セックスと異性愛的欲望との統一性を表す記号として自然化されることで、言説／権力によって構築された事実が隠蔽されるのである。この点がバトラーの、クィア批評における重要な貢献である。

こうして彼女は、主体やアイデンティティを措定せず、異性愛を規範化する権力の働きを概念化した。主体を保証するジェンダーが、タブーから産出されるのであれば、権力の外部に出ることは不可能である。代わりに彼女は、その内部での秩序の攪乱の可能性を、フーコーの概念化した権力の抑圧機能と産出機能に基づいて検証した。フーコーによれば、法は一貫したアイデンティティを構築すると同時に、それに当てはまらない「外部」を産出する。にも拘らず法は、それを言説に先立つ「逸脱的」な存在（構成的外部）とすることで、法秩序の安定化を図るのだ。バトラーは、権力によって記述不能とされたものを再定義することで、法が「内・外」を措定する境界線を、混乱させる戦略を提示した。

その際の鍵概念が、言語学者J・L・オースティンのスピーチアクト理論を発展させたパフォーマティヴィティである。オースティンは何事かを述べ、確認する発話と、語ることが行為を起動するパフォーマティヴな発話とを区別した。性規範に則る言説からジェンダーの一貫性が構築されるという意味で、ジェンダー化される身体はパフォーマティヴなものである。つまり、身体の身振りは遂行的に、内的で組織的なジェンダー・アイデンティティを構築すべく働くのである。

バトラーはまた、規制的な言説によって構築されたジェンダーの安定性を攪乱する戦略としての異性装を構想した。異性装は、「規範的な」ジェンダーと、禁止の法（タブー）から逆説的に産出された「逸脱的な」ジェンダーとの境界線を曖昧にする。そのために異性装は、ジェンダーを決定不可能な差異の連続、つまり「差延」へと流動化することを可能にする。また彼女は、パフォーマティヴィティをヘイトスピーチの分析へと応用し、中傷的な発話行為を異なる文脈で再引用することで、話者の意図を越えた新たな意味へと変容させる戦略を提示した。ゲイやレズビアンが「クィア」という蔑称を引き受け、再文脈化したことは、パフォーマティヴィティの実例である。

参考文献

江原由美子・金井淑子編『フェミニズム』新曜社、1997年。

大橋洋一編『現代批評理論のすべて』新書館、2006年。

武田美保子・大野光子ほか著『読むことのポリフォニー　フェミニズム批評の現在』ユニテ、1992年。

竹村和子編『〝ポスト〟フェミニズム』作品社、2003年。

Nitta, Keiko. "Lessons in Difference in the American Feminist Criticism of the 1980s." *Ex-position*, no. 40, 2018, pp. 109–120

世界の文学（裏）道案内

「おすすめの文学作品を教えてほしい」と言われれば、趣味に走ったリストをいくらでも書き連ねていけるのだが、「ブックガイド」や「参考図書」と言われると、何やら客観性やら公平性やらを担保せねばならないような気になってしまう。しかしながら、かなり限定的な条件をつけなければ、結局のところ選び手の価値観や好みにそったものでしかあり得ないのだから、その恣意性を自覚しつつ、おすすめ作品に至る（裏）道をここではご紹介したい。

のっけから私事に渡るが、学生時代、「『ボヴァリー夫人』なら粗筋も作者のことも説明しなくていいけれど、あなたのやっているような作家の場合はかなり詳しく説明しなくては」と論文指導で言われたことがある。ある時代と地域における教養主義的な文脈で「常識」とされている文学知識が（衰微したとはいえ）存在するのも確かだろう。それを「洒落臭い」と思っても、ある程度知識がなければ困ることもあるだろうから、「古典的名作」の基礎知識を仕入れておくのも悪くはない。おすすめは**「岩波文庫解説目録」**。販売中の岩波文庫の内容を5行で解説してくれる優れものだ。大きめの書店で無料配布されているし、岩波書店のサイトからも閲覧できる。とりあえず、どんな作家がいてどんな作品を書いているのか、ちょっとした文学地図を頭に描きながら読みたい本を探してみてはいかがだろう。「外国文学」の分類が「ギリシア・ラテン」「イギリス」「アメリカ」「ドイツ」「フランス」「ロシア」「南北ヨーロッパ・その他」と「伝統的」なのはご愛敬。「その他」のモルナール『リリオム』やニェムツォヴァー『おばあさん』はなんとも心温まる物語でおすすめしたい。なお、中国や朝鮮の文学、インド古典、さらには『アイヌ神謡集』までもが「東洋文学」に括られているのも特徴的だ。

西欧&男性中心主義的な「世界文学全集」の類いをアップデートした「池澤夏樹＝個人編集　世界文学全集」（河出書房新社）はあまりに有名だが、中東欧・中南米の作品が多少増えたとはいえ、やはり欧米中心にならざるを得ないのは「世界」を掲げる宿命かもしれない。おすすめは2巻本の「短編コレクション」の方で、例えば長編が収録されなかったアラブ文学からイドリース「肉の家」やサンマーン「猫の首を刎ねる」の衝撃を味わってみてほしい（なお、詩についてはは岩波文庫をひたすら読んでいく池澤夏樹『詩のなぐさめ』をどうぞ）。同じく世界各地の短編小説や詩を集め、「読書案内」やコラムを配した『世界文学アンソロジー　いまからはじめる』（三省堂）は、工夫に満ちた1冊。さらに短い掌編小説とキーワード解説からなる『世界の文学、文学の世界』（松籟社）も、権威的な「必読書」からまったく離れた小さな作品を集めつつ、汲めども尽きぬ文学の楽しみに誘う。

一方、「ポケットマスターピース」（集英社）は、カフカに始まってセルバンテスで終わる文庫全13巻という「保守反動」ぶりだが、古典作家に手軽にアプローチできる便利さには抗い難い魅力があり、教員としてもつい教科書に使いたくなってしまう。もちろん「古典新訳文庫」（光文社）の成功も忘れるわけにはいかない（チヌア・アチェベ『崩れゆく絆』といった「アフリカ文学」の古典も収められている）。海外の現代小説を精力的に紹介しているのはご存知「エクス・リブリス」（白水社）や「新潮クレスト・ブック」（新潮社）。読みやすくて面白い作品ばかりなのが玉に瑕だが、シリアの超辛口作家ザカリーヤー・ターミルの『酸っぱいブドウ』などが紛れていたりするので油断はできない。

大手はさておき、注目したいのはロシア・東欧の文学を地道に紹介してきた未知谷のような出版社。「ポーランド文学古典叢書」が8冊も出ているのに驚かされる。個人的には、20世紀初頭に活躍したハンガリーの作家コストラーニ・デジェーの奇想に満ちた小説が2冊も翻訳されたことに喜んでいるのだが、とりあえず『文学の贈物　東中欧文学アンソロジー』から始めてはいかがだろうか。「カレル・チャペック小説選集」で知られる成文社も『ポケットのなかの東欧文学』を出している。もっと詳しい話はぜひ松籟社のガイドブック『東欧の想像力　現代東欧文学ガイド』をどうぞ。

松籟社の「東欧の想像力」シリーズは傑作揃いだが、ボスニアのムスリム作家メシャ・セリモヴィッチ『修道師と死』などはヨーロッパとイスラム世界の狭間で練り上げられた独自の言語世界を垣間見せてくれる。同社の「創造するラテンアメリカ」シリーズは、スペイン語圏に偏った「ラテンアメリカ文学」紹介とは一線を画してブラジル文学をも収めており、インディオのおとぎ話に着想を得たマリオ・ヂ・アンドラーヂ『マクナイーマ　つかみどころのない英雄』は小説というものへの思い込みを破壊してくれるはずだ。

フランス文学系の水声社も「ブラジル現代文学コレクション」を刊行中だが、一推しはレバノン系ブラジル人作家ミルトン・ハトゥンの『エルドラードの孤児』。アマゾン川流域を舞台にしたアラブとインディオの神話的恋物語だ。同社の「エル・アトラス」シリーズは本邦初の北アフリカ文学叢書。拙訳で恐縮だがカメル・ダーウド『もうひとつの『異邦人』』ムルソー再捜査』はカミュの『異邦人』をアラブの側から語り直しつつ、アルジェリア社会を病理を鋭く告発する問題作である。

以前から「ブラジル・ラテンアメリカ文学」を紹介してきた彩流社は、「ポルトガル文学叢書」や「スペイン文学」「カナダの文学」といったコレクションもあり、『ケベック詩選集』やペソアの『ポルトガルの海』といった詩が読めるのも嬉しいばかり。詩といえば外せないのが『現代イラン詩集』（土曜美術社）で、オマル・ハイヤームの『ルバイヤート』など古典詩の伝統で知られるイランの現代詩を一望できる（なお、洒脱なエッセイが楽しい岡田恵美子訳『ルバイヤート』を収めた平凡社ライブラリーからは、ニコルソン『イスラムの神秘主義』も神秘主義詩を味読するのにおすすめだ）。人情の機微を繊細に描いたイラン映画はたくさん紹介されているが、『天空の家　イラン女性作家選』（段々社）で小説を読むのはいかがだろう。なお、ペルシア古典の地域的広がりは現在のイラン国境を遙かに越えるものだが、例えばトルコのノーベル賞作家オルハン・パムクの『赤い髪の女』（早川書房）でペルシア民族叙事詩『王書』（岩波文庫）が何度も語られているのを読むとそのことを実感する（ひろく東洋の古典文学については平凡社の『東洋文庫ガイドブック』をご覧あれ）。

イランのアルメニア系女性作家ゾヤ・ピールザードの短編集『復活祭』は、先ごろ大同生命国際文化基金の「**アジアの現代文芸**」の73冊目として翻訳されたところだが、このシリーズの特徴は文芸を通じてアジア諸国の理解を図ることを目的とし非売品であること。全国の公共図書館に寄贈され、一部の作品は電子書籍で無料公開されている。ここの一推しはパキスタンの**アフマド・ナディーム・カースミー『パルメーシャル・スィング』**。貧困にあえぐ市井の人々を飾り気のない文体で真摯に描いた短編集で、人間の尊厳について深く考えさせられる。似たような試みにトヨタ財団の「隣人をよく知ろう」プログラム翻訳出版促進助成（1978-2003）があり、相互の翻訳出版を大きな足跡を残した。32冊に及ぶ「**タイ叢書**」や「**現代インド文学選集**」など、井村文化事業社や「めこん」から出版された翻訳書の数々は日本語話者にとって莫大な財産だ。東南アジア文学の水先案内には『**東南アジア文学への招待**』（段々社）があるが、最新のタイ小説なら**ウティット・ヘーマムーン『プラータナー』**（河出書房新社）をどうぞ。

一方、民間企業のメセナとも異なり、知識人の運動によって企画されたのが、野間宏責任編集の『**現代アラブ文学選**』（創樹社）や「**現代アラブ小説全集**」（河出書房新社）だ。国際アジア・アフリカ作家会議での交流の成果として編まれたコレクションで、後者には各巻末に大江健三郎や金石範など日本語作家による評論も付されている。のちにノーベル賞を受ける**ナギーブ・マハフーズ**の『**バイナル・カスライン**』や、アラブ小説史上の最高傑作とも目されるタイエブ・サーレフの『**北へ遷りゆく時**』が収められている。暗殺されたパレスチナの作家**ガッサーン・カナファーニー**の『**ハイファに戻って／太陽の男たち**』のみ河出文庫になっているが、アルジェリア戦争を舞台にしたマムリ『阿片と鞭』もおすすめだ。

韓国や台湾という近しい隣人の文学は、もうここで紹介するまでもないだろう。それぞれ複数の翻訳コレクションが魅力的な作品をどしどしと紹介している。中国にしても「コレクション中国同時代小説」（勉誠出版）もあれば、莫言、閻連科、余華など現代作家が数多く翻訳され、もはや古典となった張愛玲の短編集『中国が愛を知ったころ』（岩波書店）も刊行された。あえてここで触れておきたいのは「台湾セクシュアル・マイノリティ文学」（作品社）と「台湾原住民文学選」（草風館）という、マイノリティと真摯に向き合うためのコレクション。そして「韓国文学ショートショート」（クオン）という、文庫より一回り大きな判型ながら百頁に満たない文字通り小さな本のコレクションだ。これはカラフルな厚紙で造ったような簡素な本だが、右から読むと日本語、左から読むと韓国語のバイリンガル版で、巻末のQRコードからは韓国語朗読が聴けるYouTubeのサイトに跳べるようになっている。韓国語学習者が多いからこそできることだろうが、外国語文学を読者に手渡すための新しいかたちといえそうだ。

いまや外国文学は売れないジャンルで、出版社は各国政府の出版助成金を申請し、「ただ同然」どころか「翻訳料なし」で研究者が翻訳する場合も少なくない。本邦初の台湾語文学の翻訳となった『台湾語で歌え日本の歌』（国書刊行会）は、台湾政府の出版助成に加えて台湾語文学界関係者の支援金（カンパ）を集めて刊行されている点でもユニークだが、文学にかける情熱に力づけられる思いがする。文学研究者による自主的な翻訳活動にも目を向けると、東京外国語大学関係者による「東南アジア文学会」が発行する雑誌『東南アジア文学』や「中東現代文学研究会」による『中東現代文学選』があり、「チベット文学研究会」による『セルニャ　チベット文学と映画製作の現在』などは翻訳ありエッセイあり巻頭はカラーで第6号は200頁超えという豪華さだ。残念ながら非売品だが図書館でご覧いただきたい。ペマ・ツェテン『チベット文学の現在　ティメー・クンデンを探して』はじめ勉誠出版などから出版されているチベット小説も複数あり（一推しはラシャムジャ『雪を待つ』）、お隣のモンゴル研究の成果も『モンゴル文学への誘い』（明石書店）に結実している。つまり、外国文学を読むという行為は、実に多くの人々の情熱（受難かもしれないが）に支えられており、作者や翻訳者や本作りに関わるあらゆる人たちがお互いに贈物を贈りあうような行為なのである。

鵜戸　聡

Book Guide——文学理論の入門書ガイド

文学理論の真髄に迫るには、理論家や思想家の著作を読むことが一番だ。言うまでもなく、入門書や概説書だけで、理論のすべてを知ることはできない。なにより、いまも旅をしつづける理論の多彩な現在形を、入門書や概説書がすべてフォローしアップデートすることは難しい。しかしながら、よき水先案内人を得ることで、理論の旅へ足を踏み出すことが容易になったり、その旅自体を実り多いものにできる場合も少なくないだろう。以下では、日本語環境で比較的入手しやすいものを中心に、理論の旅へと誘う入門書を紹介する。この紹介は、本書を通じて、もっと理論を学んでみたい、あるいは「総合」や「体系」をめざしたわけではない本書では扱われなかった項目や諸理論に触れてみたいと思った読者のためのブックガイドの意味ももつ。本書とあわせて、ぜひ、活用してほしい。

1985年、2冊の文学理論書の邦訳が、出版された。ひとつは、**ジョナサン・カラー『ディコンストラクション』**（1982）、もうひとつは、**テリー・イーグルトン『文学とは何か』**（1983）である。いずれも岩波書店から出版された。それぞれ脱構築批評とマルクス主義批評を代表する英米の文学理論家によるこの2冊は、日本における新しい文学理論の時代のはじまりを画した。新しいとは、「現代思想」としての、という意味である。構造主義からポスト構造主義へと至る思想・哲学・文学などの領域を超えた知の潮流は、日本において「戦後思想」からの離陸として体験された。この2冊を嚆矢に、その後、日本において現代文学理論の入門書が陸続と刊行されていく。

テリー・イーグルトンの**『文学とは何か』**（大橋洋一訳、岩波書店、1985年→岩波文庫、2014年）は、その後、長きにわたって日本における文学理論の定番の入門書のひとつとなった。文学理論を学ぼうとする初学者が最初に手に取る1冊である。訳者の**大橋洋一**による**『新文学入門　T・イーグルトン「文学とは何か」を読む』**（岩波セミナーブックス、1995年）は、この本の「手引き」として書かれたものだが、文学理論それじたいの面白さを伝える名著である。2冊を相互参照しながら読むことで、より理解を深めることができる。『文学とは何か』を「種本」にしたと言われる**筒井康隆『文学部唯野教授』**（岩波書店、1992年→岩波現代文庫、2000年）は、小説である。唯野教授の日々を描く虚構のなかで文学理論の講義が展開される。作中の講義は、小説内のメタテクストでもあり、読み手に文学理論の知を提供すると同時に、『文学部唯野教授』という小説そのものの読み方を自己言及する。

イーグルトン・大橋の2書に並んで、日本語で最も広く読まれているスタンダードな入門書は、新曜社ワードマップシリーズの2冊、**土田知則・青柳悦子・伊藤直哉『ワードマップシリーズ　現代文学理論　テクスト・読み・世界』**（新曜社、1996年）および、**土田知則・**

青柳悦子『ワードマップシリーズ　文学理論のプラクティス』（新曜社、2001年）だ。そのタイトルにもあるように2書は、それぞれ理論編と実践編にあたる。『現代文学理論』は「現代の文学批評を取り巻く「理論」的な鳥瞰図」を提示し、『プラクティス』は「文学テクストを舞台に具体的な分析（読み）」を実践する。いずれも、現在もアクチュアリティをもつ多彩なテーマが読者により深い考察をうながす仕方で書かれた良書である。同じシリーズの**立川健二・山田広昭『現代言語論　ソシュール・フロイト・ウィトゲンシュタイン』**（新曜社、1990年）は、ある特定の言語論者の思想をつうじて描く現代言語論の充実した入門書である。『文学理論』の2書とあわせて読むことで、文学における言語とはなにか、という問題を深めることができる。

文学理論が欧米の大学でカリキュラム化され、そこで教科書的な位置にある優れた入門書も翻訳されている。まず、**ジョナサン・カラー『文学理論』**（荒木映子・富山太佳夫訳、岩波書店、2003年）は、オックスフォード大学出版局の《超短イントロ・シリーズ》の1冊である。フランス文学研究者からアメリカの脱構築批評の牽引者となった著者は、本書で諸理論を「解釈をめぐって競合するアプローチ」として描くのではなく、理論が行ってきた挑戦や意味の創造を示そうとする。巻末の付録には主な批評の流派や運動のスケッチもつく。カラーの同書は、先述の**『ディコンストラクション』**（富山太佳夫、折島正司訳、1985年、岩波現代選書→岩波現代文庫、2009年）とともに、広く読まれ続けている。**ピーター・バリー『文学理論講義　新しいスタンダード』**（高橋和久監訳、ミネルヴァ書房、2014年）は、欧米の大学の多くの学部過程の教科書や参考書として使用されることで版を重ね、増補拡大がなされてきた入門書である。そのタイトルの通り実際の授業を土台に作られており、課題挑戦のコーナー「考えてみよう」で具体的な「実践」を体験できる。昨今隆盛する「エコ批評」や欧米における理論の新動向にも目配りがあり、「文学理論の歴史」を「重大事件」で語る1章は殊にユニークだ。

レントリッキア&マクラフリン〔マクローリン〕編『現代批評理論　22の基本概念』(大橋洋一・正岡和恵・篠崎実・利根川真紀・細谷等・石塚久郎訳、平凡社、1994年）および**『続・現代批評理論　＋6の基本概念』**(大橋洋一・正岡和恵・篠崎実・利根川真紀・細谷等・清水晶子訳、平凡社、2001年）は、入門書の枠にとどまらない大部な書で、豪華な執筆陣が並んでいる。バーバラ・ジョンソン、スタンリー・フィッシュ、スティーヴン・グリーンブラット、ジュディス・バトラー、当代一流の文学理論家が展開する理論をめぐる個性的なナラティブは読み応えがある。

フランスの概説書としては、**ジャン＝イヴ・タディエの『二十世紀の文学批評』**(西永良成・山本伸一・朝倉史博訳、大修館書店、1993年）が翻訳されている。レヴィ＝ストロースの神話研究への注目の高まりのなか構造主義の祖として発見されたロシア・フォルマニズムからはじまり、フランス、アメリカ・イギリス、ドイツ、ロシアに展開された文学批評の方法論としての理論が概説されている。アントワーヌ・コンパニョン『文学をめぐる理論と常識』(中地義和・吉川一義訳、2007年、岩波書店）は、第1章でも触れられた通り、理論の諸流派やその思想の解説それじたいを行うものではない。むしろ、教科書的な理論を抵抗なく受け入れ、理論をモードとして消費する傾向に対する挑発としての理論書である。「作者」をはじめ理論が解体し厄介払いをしようとしたが果たせず、「常識」として生き残った通念は少なくない。著者は、こうした理論と常識の「魔」を検討することを通じて、理論そのものの自明性をも問いながら、そのあるべき姿を探ろうとする。

理論の解説とその実践を1冊で体験できる入門書も多数でている。**難波江和英・内田樹『現代思想のパフォーマンス』**（光文社新書、2004年）は、哲学者による理論の解説書である。「現代思想をツールとして使いこなす技法を実演（パフォーマンス）する」ことを目指し、ソシュール、バルト、フーコー、レヴィ＝ストロース、ラカン、サイード6人の思想・理論を解説したうえで、具体的なテクストの分析を「実演」する。**丹治愛編『知の教科書　批評理論』**（講談社メチエ、2003年）は、英米文学・独文・仏文などを専門とする著者たちが、各章で理論の概略と具体的な作品の批評実践をおこない理論の魅力を伝える。**武田悠一『読むことの可能性　文学理論への招待』**（彩流社、2017年）、**『差異を読む　現代批評理論の展開』**（彩流社、2018年）の2書は、ひとりの著者によって書かれた理論編と実践編の2冊である。前者では文学理論の「定番」の解説が試みられ、後者では理論の社会的な「展開」と、その実践的な「展開」を描く。後者のエピローグは「アダプテーション批評」を扱っており、ポストメディア時代の理論への展望もなされる。

廣野由美子『批評理論入門　「フランケンシュタイン」解剖講義』（中公新書、2005年）は、

1冊まるごとメアリー・シェリーの『フランケンシュタイン』という具体的な対象テクストをベースにおき諸理論を浮上させる。一般的な文学理論の入門書とは逆のアプローチをとる本書は、第1部で小説技法をキーにして、第2部で『フランケンシュタイン』批評史を描くことを通じて、ひとつのテクストが、理論によっていかに多様に読みうるのか、その可能性を提示する。

大橋洋一編『現代批評理論のすべて』（新書館、2006年）は、テーマ編、人名編、用語編とコラムによって構成され、それぞれに独自のナラティブを配した読む事典、考えるための事典の趣をもつ。特に人名項目は類書に見られない充実で、写真の掲載もあり理論家の横顔を手軽に知ることができる。

大学の学部等の講義で使用することを前提に編まれた教科書も、複数編まれている。**丹治愛・山田広昭編『文学批評の招待』**（放送大学教育振興会、2018年）は、放送大学の講義用に編まれた教科書である。英文学と仏文学の研究者ふたりの編者と、比較文学・日本文学も含む3人の著者がオムニバス形式で理論的地平にもとづく批評的実践を提示する。**木谷厳編著『文学理論をひらく』**（北樹社、2014年）は、英米文学研究者たちによる大学での講義のための教科書として書かれた入門書である。講義とコラムで編まれ、その根底には、人文学の危機の時代における批評の再興と、理論の「教育的価値」の発掘をめざす今日的な問題意識が貫かれている。

石原千秋・木股知史・小森陽一・島村輝・高橋修・高橋世織著『読むための理論』（世織書

房、1991年）では、日本文学研究に文学理論を「導入」してきた「先駆者」たちが理論の基礎を紹介する。本書は日本文学研究が文学理論という問題領域に出会う過程そのものの「歴史」の証言でもある。同書の編者のさらに「先駆者」とも言える**前田愛**の『**文学テクスト入門**』（増補版、ちくま学芸文庫、1993年）や『**都市空間の文学**』（ちくま学芸文庫、1992年）における日本近代文学における理論的実践の軌跡には、いまも古びない問題提起がある。**一柳廣孝・久米依子・内藤千珠子・吉田司雄**『**文化のなかのテクスト　カルチュラル・リーディングへの招待**』（双文社出版、2005年）は日本文学研究者によって編まれた大学短大の講義演習用の教科書である。現代日本文学を文化＝歴史的なコンテクストのなかで読む実践を通して、カルチュラル・スタディーズを中心とする理論の基本概念を概説している。**亀井秀雄監修・菱沼正美著**『**超入門！現代文学理論講座**』（ちくまプリマー新書、2015年）も、日本文学研究による入門書である。高校生向けに書かれたものだが、文学理論の初歩を親しみやすい日本文学のテクストを対象に分かりやすく解説している。

諸理論・各論の入門書・概説書については、前掲書のなかのブックガイド等をあたってほしいが、特に文学に即したものを数点あげておこう。まず、**富山多佳夫編**『**現代批評のプラクティス**』シリーズ（研究社、『ニューヒストリズム』（1995年）、『フェミニズム』（1995年）、『文学の境界線』（1996年）、『ディコンストラクション』（1997年）、『批評のヴィジョン』（2001年））は、全5冊における実践的な批評を通して、多様な理論と諸理論の多面性に触れることができる。フェニムズム文学批評史は、**武田美保子編**『**読むことのポリフォニー**』（ユニテ、

1992年）で精妙な概観と展望がなされている。ポストコロニアル理論に特化した入門書としては、**本橋哲也『ポストコロニアリズム』**（岩波新書、2005年）がある。ファノン、サイード、スピヴァックの思想から日本の状況までコンパクトに要諦を伝える好著である。

渡邊 英理

おわりにかえて

私の興味をそそるタイプの批評が、あまりにも専門的・技術的になってしまうかもしれないという危険には、私も気づいている。私が期待しているのは、様々な専門的知識を受けた批評家たちが力を合わせること、そして、できれば、専門家でも素人でもない人々が、その共同作業の成果をまとめ合わせたり選り分けたりすることである。

――Ｔ・Ｓ・エリオット「批評における実験」

文学を考えるとは、どういうことか。文学理論は、この問いをめぐって積み重ねられてきた「思索」の連なりです。文学理論は、従来の文学研究の常識に挑み、また旧来の権威的な文学批評にたいして挑戦してきましたが、それは、この問いをめぐる「思索」の更新を通じてなされたものです。文学を考えるとは、どういうことか、という問いそのものに挑戦することで、文学理論は、研究や批評のあり方を変えてきたと言えるでしょう。それはまた、わたしたちに文学を考えるとはどういうことかと問いかけることで、文学理論が、わたしたちの文学との触れあい方や対話の仕方を変えたということも意味します。そうだとすれば、文学理論は、文学と触れあい、対話をしようとする人びとの知性や感性を可感的にするものであり、そして、時には思想の「変革」をもたらすものだ、とも言えそうです。

理論によって感受性や身体性が組みかえられて、新しい感性を得る。すこしだけこれまでとは違った読み方、見方や考え方ができるようになる。あるいは、自らの存在基盤そのものがくつがえされてしまうほど、思想や知のあり方が根本的に変わってしまう場合もあるかもしれません。これらはすべて、自らに新しい価値が創造される瞬間です。文学理論は、わたしたちに、いまも、こうした新たな価値の創造をもたらしてくれるものにちがいない。その確信から、本書は、編まれています。

本書の言葉によって、この本を手にとってくださったあなたに、たとえどんなに小さくとも、そうした価値の創造が訪れることがあれば、うれしいです。


この本は、フィルムアート社の山本純也さんが、声をかけてくださったことからはじまりました。私事なのですが、ちょうど個人史のなかでは、長い時間をかけて考えたり書いたりしてきたひとりの作家に関する著作の目処がようやく見えてきたタイミングでした。ふだんは現代日本語文学／「戦後文学」について考えたり書いたりしている、しかも一般的には理論からは距離のある日本語文学研究者、言わば趣味の「文学理論家」であるわたしが、はたして適任かどうか……。そういう迷いはありましたが、新しい文学理論の入門書が必要ではないか、という山本さんの提案は魅力的で、この「節目」に自分がよってたつバックボーンとしての文学理論に向かいあってみたいという動機はおさえがたく、また現在の研究や批評の文脈に「理論的介入」(のようなもの)を友人たちと試みることができたら、という気持ちも芽生えてきて、この本作りに参画することを決めました。

院生時代に植民地/近代の超克研究会(植近研)でご一緒していた文学理論を専門とされる三原芳秋さんに、まず相談したところ、本書の企画を面白がってくださり編者となってくださいました。また同じく院生時代にポストコロニアリズム文学研究会でご一緒していた「同郷」の研究仲間であり、三原さんの研究仲間でもある鵜戸聡さんに声をかけたところ快諾してくださり、この本を3人で編むことになりました。

本書にとって幸運なことに、ブランショやデリダの研究者で、文学理論(の思想)史の探求もなさっている郷原佳以さん、批判人種論やフェニミズム・ジェンダー理論を中心とする文化理論家でアメリカ文学研究者の新田啓子さん、理論のチャレンジや現在形を示すにふさわしい重量級の著者に加わっていただくことが叶いました。さらに「トピック編」の著者として、文学研究を志す5名の大学院生、橋本智弘さん、井沼香保里さん、磯部理美さん、森田和磨さん、諸岡友真さんが連なってくださいました。

「はじめに」でも触れられているように、本書全体のコンセプトや方向性は、前半の「基礎講義編」の著者5人と編集者の山本さんがあつまり、議論するなかでねりあげられたもので、文字通りの意味で対話性にもとづく共同作業の産物です。また同じ言語圏の文学研究者のうちで編まれることの多い理論の入門書のなかで、本書は、英米文学、フランス語圏文学、日本語文学と異なる「専門的知識」をもつ複数の研究者間による共同作業を意識的に試みました。そのことが、本書の理論を多声的なものにしたのではないか、とほんのすこし自負しています。

この共同作業の成果が、あなたの文学との触れあいや対話の一助となり、そして願わくは、本書の余白を、あなたの手がうめてくださり、本書のつづき、あるいは書き換えを、あなたに手がけてもらえますように。

渡邊 英理

人名索引

［マ］

［ラ］

事項索引

［執筆者プロフィール］

三原芳秋　一橋大学大学院言語社会研究科教授。コーネル大学Ph.D.（英文学・文学理論）。批評誌*Ex-position*, 40号（2018年）特集"Literary Criticism Scene of the 1980s, Revisited" ゲスト・エディター。編訳書にゴウリ・ヴィシュワナータン『異議申し立てとしての宗教』（みすず書房、2018年）。第2章を執筆。

渡邊英理　大阪大学大学院人文学研究科教授。東京大学博士（学術）。近現代日本語文学。著書に『中上健次論』（インスクリプト、2022年）、共著書に『戦後日本を読みかえる4　高度経済成長の時代』（臨川書店、2019年）、『翻訳とアダプテーションの倫理』（春風社、2019年）。第3章とBook Guideを執筆。

鵜戸聡　明治大学国際日本学部准教授。東京大学博士（学術）。フランス語圏アラブ＝ベルベル文学。共著書に『世界の文学、文学の世界』（松籟社、2020年）、『国民国家と文学』（作品社、2019年）など。訳書にカメル・ダーウド『もうひとつの「異邦人」』（水声社、2019年）。第5章と「世界文学（裏）道案内」を執筆。

郷原佳以　東京大学大学院総合文化研究科准教授。パリ第7大学Ph.D.（テクストとイメージの歴史と記号学）。著書に『文学のミニマル・イメージ　モーリス・ブランショ論』（左右社、2011年）、訳書にエレーヌ・シクスー／ジャック・デリダ『ヴェール』（みすず書房、2014年）など。第1章を執筆。

新田啓子　立教大学文学部教授。ウィスコンシン大学マディソン校Ph.D.（アメリカ文学、文化理論）。著書に『アメリカ文学のカルトグラフィ』（研究社、2012年）、編著に『ジェンダー研究の現在』（立教大学出版会、2013年）、訳書に『ブラック・ノイズ』（みすず書房、2010年）など。第4章を執筆。

橋本智弘　青山学院大学文学部准教授。ポストコロニアル理論／文学。共著書に『バイリンガルな日本語文学』（三元社、2013年）、『ノーベル文学賞にもっとも近い作家たち』（青月社、2014年）。第6章を執筆。

井沼香保里　多摩美術大学大学院美術研究科助教。近代心霊主義流行期英国の文化事象や文学作品を研究。論文に、"Study in Fairies: Arthur Conan Doyle's Alternative Science and the Cottingley Fairy Photographs"（*Ex-position*, 48号、2022年）など。第7章を執筆。

磯部理美　お茶の水女子大学ほか非常勤講師。イギリス児童文学。論文に"Where Children Encounter the Past: Reading Time-Slip Fantasy as Literature of Place"（*Correspondence*, 4号、2019年）、「〈目に見えないもの〉の語り——Lucy M. Bostonの環世界を読む」（『Tinker Bell 英語圏児童文学研究』64号、2019年）。第8章を執筆。

森田和磨　一橋大学大学院言語社会研究科博士後期課程。アジア太平洋戦争以後の日米文学。論文に「石原吉郎『望郷と海』における「証言」についての一考察」（『言語社会』12号、2018年）など。第9章を執筆。

諸岡友真　インディアナ大学ブルーミントン校英米文学専攻博士後期課程。アメリカ文学。論文に「『もう一つの国』における愛の政治学」（『立教ジェンダーフォーラム年報』21号、2020年）。第10章を執筆。

クリティカル・ワード
文学理論
読み方を学び文学と出会いなおす

2020年3月25日　初版発行
2023年5月25日　第五刷

編者　三原芳秋・渡邊英理・鵜戸聡
装幀　大倉真一郎
装画　カワイハルナ

発行者　上原哲郎
発行所　株式会社フィルムアート社
〒150-0022
東京都渋谷区恵比寿南1-20-6 第21荒井ビル
TEL 03-5725-2001
FAX 03-5725-2626
http://www.filmart.co.jp/

印刷・製本　シナノ印刷株式会社

Printed in Japan
ISBN 978-4-8459-1932-1 C0090